3124300 491 2019
D1290222

Gaetano Donizetti

DON PASQUALE

Gaetano Donizetti

GAETANO DONIZETTI

DON PASQUALE

Dramma buffo in tre atti

Libretto di MICHELE ACCURSI

Prima rappresentazione:
Parigi, Teatro Italiano, 3 Gennaio 1843

PARTITURA

RICORDI

Vi invitiamo a visitare il nostro sito:

www.ricordi.it - www.ricordi.com

Please visit our website:

www.ricordi.it - www.ricordi.com

© Copyright 2005 by BMG PUBLICATIONS s.r.l.
Tutti i diritti riservati - All rights reserved
Printed in Italy

P.R. 1382
ISMN M-041-91382-7

Produzione, distribuzione e vendita: BMG PUBLICATIONS s.r.l., via Liguria 4, Frazione Sesto Ulteriano, 20098 San Giuliano Milanese (MI)

Riassunto del libretto

Atto I. L'anziano possidente don Pasquale, esasperato dal contegno del nipote Ernesto che rifiuta i buoni partiti che gli offre e si ostina a voler sposare la vedova Norina, nullatenente, decide di prender moglie, e diseredare e cacciare di casa il nipote ribelle. Per consiglio si rivolge al dottor Malatesta, il quale finge di prendere a cuore la causa di don Pasquale, ma in realtà studia uno stratagemma per beffare il vecchio e far felici Ernesto e Norina. Perciò si offre subito di trovargli lui stesso una moglie adatta, e gli propone sua sorella Sofronia, che vive in convento. Don Pasquale accetta con gioia, e annuncia al nipote la decisione presa, invitandolo a lasciare al più presto la sua casa. Ernesto, esasperato, chiede allo zio se si è consigliato con qualche buon amico, per esempio con il dottor Malatesta; e quando sa che è proprio lui a procurargli la sposa, e che la sposa è addirittura sua sorella, si allontana infuriato. Norina sta leggendo un romanzo cavalleresco, e quando il dottor Malatesta la raggiunge, gli comunica che non vuol più stare al gioco dell'inganno a don Pasquale, perché ha appena ricevuto una lettera di Ernesto che, disperato, vuol rinunciare a lei e si appresta a partire. Ma il dottore la rassicura, informerà lui stesso Ernesto, e le dà le ultime istruzioni affinché possa interpretare al meglio la parte di Sofronia.

Atto II. Ernesto raccoglie le sue poche cose, e mestamente lascia la casa da cui è stato cacciato. Don Pasquale, vestito in gran gala, si appresta ad accogliere il dottore che conduce seco la sposa, la quale accende subito l'entusiasmo del vecchio, perché si mostra modesta, docile, remissiva, e anche bella. Con l'aiuto di un falso notaio, le nozze vengono immediatamente concluse con la stesura di un contratto che prevede la donazione alla sposa della metà dei beni mobili e immobili di don Pasquale. Al momento della firma, ci si accorge che manca un testimone, ma sopraggiunge provvidenzialmente Ernesto, che subito viene messo a parte della beffa. Appena le firme sono apposte sul contratto, Sofronia cambia atteggiamento: diventa sfrontata, aggressiva, prepotente, e mostra un interesse esagerato per Ernesto, che elegge subito come proprio cavalier servente. Don Pasquale è deluso, spaventato, e comincia anche a preoccuparsi del patrimonio, messo a dura prova dalle spese pazze che la sposina pianifica immediatamente col maggiordomo per rinnovare la conduzione della casa.

Atto III. La casa di don Pasquale è sconvolta dall'andirivieni di nuovi servi e cameriere, e dall'entrata e l'uscita di fattorini, sarte, modiste. Don Pasquale, sempre più spaventato, ha in mano un lungo elenco di conti da pagare, ma questo sarebbe il meno. Il peggio è che Sofronia sta uscendo per andarsene da sola a teatro, e quando don Pasquale si oppone energicamente, riceve uno schiaffo in pieno viso. Nell'uscire, Norina lascia cadere un foglio, che don Pasquale raccoglie, presumendo trattarsi di un conto da pagare. È invece una lettera che Sofronia ha scritto a un corteggiatore per fissare un appuntamento serale nel giardino della casa. Quest'ultimo affronto il vecchio non lo può sopportare, e uscendo ordina ai servi di chiamare immediatamente il Dottor Malatesta. Mentre i servi commentano ironicamente quanto sta accadendo nella casa, giungono Ernesto e il Dottore, che studiano in tutti i particolari le modalità del convegno notturno nel giardino. Ernesto si allontana per prepararsi, mentre il Dottore concerta con don Pasquale il modo per sorprendere gli innamorati, denunciarli all'autorità e fare in modo che il marito possa liberarsi di una sposa che ormai non sopporta più. Intanto nel giardino lo scherzo è stato combinato abilmente in tutti i particolari: nel momento in cui don Pasquale e il Dottore irrompono per sorprendere la coppia fedifraga, l'innamorato non si trova più, e Sofronia reagisce alteramente alle insinuazioni di don Pasquale. Questi, che ormai vede sfumare l'ultima speranza di liberarsi della moglie, accetta di buon grado il suggerimento del Dottore, che accenna alla eventualità che Ernesto si sposi. A questa notizia, Sofronia finge di arrabbiarsi, rifiuta la presenza di un'altra donna nella sua casa, e minaccia di andarsene; don Pasquale ne vuole subito approfittare, chiama Ernesto, e gli offre un assegno annuo di quattromila scudi alla condizione che sposi all'istante Norina. Il nipote accetta, ed ecco che Sofronia, di fronte allo stupefatto don Pasquale, si trasforma in Norina. «Ben è scemo di cervello - dice la morale - chi s'ammoglia in vecchia età»: e al vecchio gabbato non resta che benedire le nozze dei due giovani innamorati.

Synopsis of the libretto

Act I. Don Pasquale, a rich old man, is at his wits end: his nephew Ernesto keeps refusing the good matches he's trying to arrange and insists that he wants to marry the poor widow Norina. So Don Pasquale decides to get married himself and disinherit his rebellious nephew, kicking him out of the house at the same time. He asks Doctor Malatesta for advice on how to go about it; Malatesta pretends to be truly concerned and wants to help Don Pasquale, but he's really trying to come up with a stratagem to trick the old man and make Ernesto and Norina happy. So he immediately offers to find a suitable wife for the man, proposing his sister Sofronia, who lives in a convent. Don Pasquale accepts with glee and tells his nephew that he's going to marry, asking him to leave his house as soon as possible. Ernesto is thoroughly upset about it all and asks his uncle if he's spoken to a good friend about his decision, maybe even Doctor Malatesta; when he's told that Don Pasquale has indeed spoken of the matter to the doctor and that the intended wife is his sister, he goes off in a huff. Norina is reading a chivalrous novel when Doctor Malatesta joins her. She tells him she can't be part of the trick being played on Don Pasquale, as she's just received a letter from Ernesto who is desperate and intends to give up the idea of marrying her and go away. But the doctor reassures her, saying he'll tell Ernesto himself, and gives her the final instructions so that she can play the part of Sofronia to best effect.

Atto II. Ernesto gathers up his few things and sadly leaves the house from which he's been banned. Don Pasquale, dressed up to the nines, gets ready to welcome the doctor and his sister. On entering, the girl immediately fires the old man's enthusiasm, as she's very modest, docile, meek and beautiful. With the aid of a false notary, the marriage contract is immediately brought forward to be signed, whereby half of Don Pasquale's money and property are given to his bride. As the document is about to be signed, however, they realise that they need another witness, but luckily just then Ernesto appears and is quickly told about the trick being played on Don Pasquale. As soon as the signatures are placed on the contract, Sofronia changes her behaviour: she becomes impudent, aggressive, tyrannical and shows an exaggerated interest in Ernesto, whom she immediately adopts as her cavalier. Don Pasquale is disillusioned and scared, and starts worrying about his assets, about to be severely strained by the unrestrained purchases that his wife is planning with the butler to make to renew the housekeeping.

Act III. Don Pasquale's home has become a madhouse, with new servants and maids, seamstresses and milliners and porters coming and going with the new purchases. Don Pasquale is increasingly bewildered and holds a long list of bills to pay. But that's the least of his worries! What's worse is that Sofronia is about to go out to the theatre on her own. When Don Pasquale strongly opposes this, she slaps him full on the face. As she leaves, Norina deliberately drops a sheet of paper, which Don Pasquale picks up assuming that it's yet another bill. However, it's a letter that Sofronia has written to a beau fixing an appointment that night in the garden. This is too much for the old man to bear and so he leaves, telling the servants to call Doctor Malatesta immediately. Ernesto and the doctor arrive while the servants comment ironically on what's happening in the house. Together they study all the details of the night's tryst in the garden. Ernesto goes off to get ready, while the doctor agrees with Don Pasquale how to surprise the lovers, report them to the authorities and free the husband of a wife he can no longer stand. Meanwhile, in the garden, all details of the hoax have been arranged. As soon as Don Pasquale and Doctor Malatesta jump out to surprise the unfaithful couple, the man is nowhere to be seen and Sofronia reacts angrily to Don Pasquale's insinuations. Having seen his last hope of freeing himself from his wife disappear in smoke, he accepts the doctor's suggestion that Ernesto should marry. On hearing this, Sofronia pretends to get angry, refuses the presence of another woman in her home and threatens to leave; Don Pasquale can't wait to exploit the situation and so he calls Ernesto, offering him an annual allowance of four thousand *scudos* on the condition that he immediately marries Norina. His nephew accepts, at which Sofronia turns into Norina, much to Don Pasquale's surprise. "It's a silly old man," says the moral, "who only marries in advanced years": and so the trapped old man has no choice but to bless the marriage of the two young lovers.

Zusammenfassung des Librettos

Erster Akt. Der alte Grundbesitzer Don Pasquale ist verzweifelt über das Verhalten seines Neffen Ernesto, der die guten Partien, die er ihm präsentiert, allesamt ablehnt und darauf besteht, die mittellose Witwe Norina zu heiraten; so beschließt er demnach selbst zu heiraten, den rebellischen Neffen zu enterben und aus dem Haus zu jagen. Er bittet um den Rat von Doktor Malatesta, der vorgibt, sich das Anliegen von Don Pasquale zu Herzen zu nehmen, doch in Wirklichkeit sucht er nach einer List, um dem Alten eine Lehre zu erteilen und Ernesto und Norina glücklich zu machen. Aus diesem Grund erbietet er sich sofort, ihm eine passende Gemahlin zu finden und schlägt ihm seine Schwester Sofronia vor, die in einem Kloster lebt. Don Pasquale nimmt mit Freuden an und verkündet seinem Neffen die getroffene Entscheidung mit der Aufforderung sein Haus so schnell wie möglich zu verlassen. Ernesto ist verzweifelt und fragt den Onkel, ob er zufällig einen guten Freund um Rat gebeten hat, zum Beispiel den Dokor Malatesta, und als er erfährt, dass eben dieser die Heirat arrangiert hat, und dass die Braut sogar dessen Schwester ist, geht er entrüstet.Norina liest einen Ritterroman und als Doktor Malatesta zu ihr stößt, teilt sie ihm mit, dass sie an diesem Streich an Don Pasquale nicht mehr teilhaben möchte, denn sie hat soeben einen Brief von Ernesto erhalten, der ihr verzweifelt mitteilt, dass er auf sie verzichten und bald fortgehen wird. Doch der Doktor beruhigt sie; er selbst wird Ernesto ins Bild setzen und er gibt ihr die letzten Anweisungen, so dass sie den Part von Sofronia bestmöglich übernehmen kann.

Zweiter Akt. Ernesto packt seine wenigen Sachen und verlässt betrübt das Haus, aus dem man ihn fortschickt. Der in Schale geworfene Don Pasquale empfängt gerade den Doktor, der die Braut mit sich führt, die den Alten sofort begeistert, denn sie zeigt sich bescheiden, fügsam, unterwürfig und ist sogar schön. Mit Hilfe eines falschen Notars wird die Heirat sofort durch die Abfassung eines Vertrags besiegelt, der vorsieht, dass der Braut die Hälfte aller Güter von Don Pasquale bekommt. Beim Unterzeichnen bemerkt man, dass ein Zeuge fehlt, doch da trifft zum Glück Ernesto ein, der sofort von dem Plan in Kenntnis gesetzt wird. Sobald die Unterschriften unter den Vertrag gesetzt sind, ändert Sofronia ihre Haltung: sie wird frech, aggressiv, überheblich und sie zeigt ein übertriebenes Interesse an Ernesto, den sie sofort zu ihrem hartnäckigen Verehrer macht. Don Pasquale ist enttäuscht, erschrocken und beginnt, sich um sein Vermögen zu sorgen, das durch die erschreckenden Ausgaben, die die Gemahlin gemeinsam mit dem Butler beschließt, um den Haushalt zu erneuern, stark in Mitleidenschaft gezogen wird.

Dritter Akt. Das Haus von Don Pasquale wird durch das Kommen und Gehen von neuen Bediensteten und Dienern durch das Ein und Aus von Boten, Schneidern, Modeschneiderinnen auf den Kopf gestellt. Don Pasquale bekommt es mit der Angst zu tun; er hat eine lange Liste von Rechnungen in der Hand, doch das ist allein nicht das Verheerendste. Schrecklich ist, dass Sofronia sich anschickt, allein ins Theater zu gehen, und als Don Pasquale sich heftig widersetzt, bekommt er sogar eine Ohrfeige verpasst. Als Norina geht, lässt sie ein Blatt fallen, das Don Pasquale aufhebt in der Annahme, es handle sich um eine weitere Rechnung. Stattdessen handelt es sich um einen Brief, den Sofronia einem Verehrer geschrieben hat, um ein abendliches Stelldichein im Garten des Hauses zu vereinbaren. Diesen letzten Affront ist der Alte nicht bereit zu akzeptieren, und als er hinausgeht, befielt er den Dienern, sofort Doktor Malatesta zu sich zu bestellen. Während die Diener sich über das, was im Hause vorgeht, lustig machen, treffen Ernesto und der Doktor ein, die das nächtliche Treffen im Garten in allen Einzelheiten besprechen. Ernesto geht, um sich vorzubereiten, während der Doktor mit Don Pasquale abspricht, wie die Geliebten überrascht und den Behörden angezeigt werden können, so dass sich der Gemahl von seiner Frau trennen kann, die er ja inzwischen nicht mehr erträgt. In der Zwischenzeit wird der Streich gut in allen Einzelheiten vorbereitet: in dem Augenblick, in dem Don Pasquale und der Doktor eingreifen, um das ehebrecherische Paar zu überraschen, lässt sich der Geliebte nirgends finden und Sofronia reagiert böse auf die Anspielungen von Don Pasquale. Dieser sieht nun die letzte Möglichkeit, sich von seiner Frau zu befreien, schwinden und er nimmt mit Freuden den Rat des Doktors an, der auf die Möglichkeit anspielt, dass Ernesto heiraten könnte. Bei dieser Nachricht gibt Sofronia sich wütend, sie lehnt die Anwesenheit einer weiteren Frau im Hause ab und droht zu gehen. Don Pasquale nutzt sofort die Gelegenheit, ruft Ernesto und bietet ihm eine Unterstützung von viertausend Silbermünzen jährlich unter der Bedingung, dass er sofort Norina heiratet. Der Neffe nimmt an und da verwandelt sich Sofronia vor dem erstaunten Don Pasquale in Norina. „Schön dumm – so sagt die Moral – ist wer im hohen Alter noch die Ehe eingeht": und dem zum Besten gehaltenen Alten bleibt nur, der Heirat der beiden jung Verliebten seinen Segen zu geben.

Résumé du livret

Premier Acte. Le riche vieillard don Pasquale, exaspéré par la conduite de son neveu Ernesto qui refuse les partis avantageux qu'il lui offre et s'obstine à vouloir épouser la veuve Norina, qui ne possède rien, décide de prendre femme, et de déshériter et chasser de sa maison le neveu rebelle. Pour prendre conseil il s'adresse au docteur Malatesta, qui feint de prendre à cœur la cause de don Pasquale, mais en réalité étudie un stratagème pour berner le vieil homme et rendre heureux Ernesto et Norina. Il s'offre donc immédiatement pour lui trouver une femme qui lui convienne, et lui propose sa sœur Sofronia, qui vit au couvent. Don Pasquale accepte avec joie, et annonce sa décision à son neveu, en l'engageant à quitter sa maison au plus vite. Ernesto, exaspéré, demande à son oncle s'il a demandé conseil à un bon ami, par exemple au docteur Malatesta; et quand il apprend que c'est justement lui qui lui procure l'épouse, et que ladite épouse est même sa sœur, il s'éloigne furieux. Norina est en train de lire un roman de chevalerie, et quand le docteur Malatesta la rejoint, elle lui communique qu'elle ne veut plus jouer le jeu de la duperie à don Pasquale, car elle vient de recevoir une lettre d'Ernesto qui, désespéré, veut renoncer à elle, et se prépare à partir. Mais le docteur la rassure, ce sera lui qui informera Ernesto, et il lui donne les dernières instructions pour qu'elle puisse interpréter le mieux possible la partie de Sofronia.

Deuxième acte. Ernesto rassemble ses quelques affaires, et il quitte tristement la maison d'où on l'a chassé. Don Pasquale, vêtu de grand gala, se prépare à recevoir le docteur qui amène avec lui l'épouse, qui suscite immédiatement l'enthousiasme du vieil homme, car elle se montre modeste, docile, soumise, et également belle. Avec l'aide d'un faux notaire, on conclut immédiatement les noces en rédigeant un contrat qui prévoit la donation à l'épouse de la moitié des biens meubles et immeubles de don Pasquale. Au moment de la signature, on s'aperçoit qu'il manque un témoin, mais providentiellement survient Ernesto, qu'on fait immédiatement participer à la farce. Dès que les signatures sont apposées sur le contrat, Sofronia change d'attitude: elle devient effrontée, agressive, dominatrice, et montre un intérêt exagéré pour Ernesto, qu'elle élit tout de suite son propre chevalier servant. Don Pasquale est déçu, effrayé, et commence même à se préoccuper pour son patrimoine, mis à dure épreuve par les folles dépenses que la jeune épouse planifie immédiatement avec le majordome pour rénover la gestion de la maison.

Troisième acte. La maison de don Pasquale est bouleversée par le va-et-vient de nouveaux serviteurs et femmes de chambres, et par les allées et venues de garçons de courses, couturières, modistes. Don Pasquale, de plus en plus effrayé, a en main une longue liste de comptes à payer, mais cela serait le moindre. Le pire est que Sofronia est en train de sortir pour s'en aller toute seule au théâtre, et quand don Pasquale s'y oppose énergiquement, il reçoit une gifle en plein visage. En sortant Norina laisse tomber une feuille, que don Pasquale recueille en présumant qu'il s'agit d'un compte à payer. Mais c'est une lettre que Sofronia a écrite à un soupirant pour lui fixer rendez-vous le soir dans le jardin de la maison. Le vieil homme ne peut pas supporter ce dernier affront, et en sortant il ordonne aux serviteurs d'appeler immédiatement le Docteur Malatesta. Tandis que les serviteurs commentent ironiquement ce qui arrive dans la maison arrivent Ernesto et le Docteur, qui étudient dans tous les détails les modalités de la réunion nocturne dans le jardin. Ernesto s'éloigne pour se préparer, tandis que le Docteur concerte avec don Pasquale le moyen pour surprendre les amoureux, les dénoncer aux autorités et faire en sorte que le mari puisse se libérer d'une épouse qu'il ne supporte plus. Pendant ce temps dans le jardin on a combiné la plaisanterie habilement, dans tous les détails: au moment où don Pasquale et le Docteur font irruption pour surprendre le couple infidèle, on ne trouve plus l'amoureux, et Sofronia réagit altièrement aux insinuations de don Pasquale. Ce dernier, qui désormais voit s'évanouir son dernier espoir de se libérer de sa femme, accepte de bon gré le conseil du Docteur, qui effleure l'éventualité qu'Ernesto se marie. À cette nouvelle, Sofronia fait semblant de se mettre en colère, refuse la présence d'une autre dame dans sa maison, et menace de s'en aller; don Pasquale veut tout de suite en profiter, il appelle Ernesto, et lui offre une somme annuelle de quatre mille écus à la condition qu'il épouse Norina immédiatement. Le neveu accepte, mais voici que Sofronia, devant don Pasquale stupéfait, se transforme en Norina. «Il est bien sot - dit la morale – qui se marie en son vieil âge»: et le vieillard dupé n'a plus qu'à bénir les noces des deux jeunes amoureux.

PERSONAGGI

Basso	Don Pasquale, vecchio celibatario tagliato all'antica, economo, credulo, ostinato, buon uomo in fondo
Baritono	Dottor Malatesta, uomo di ripiego, faceto, intraprendente, medico e amico di Don Pasquale, ed amicissimo di Ernesto
Tenore	Ernesto, nipote di Don Pasquale, giovane entusiasta, amante corrisposto di Norina
Soprano	Norina, giovane vedova, natura sùbita, impaziente di contraddizione, ma schietta ed affettuosa
Basso	Un Notaro,

Servi e camerieri
Maggiordomo, modista e parrucchiere che non parlano

L'azione si finge a Roma

ORCHESTRA

Flauto I [Fl.]
Flauto II e Ottavino [Ott.]
2 Oboi [Ob.]
2 Clarinetti [Cl.]
2 Fagotti [Fg.]

4 Corni [Cor.]
2 Trombe [Trb.]
3 Tromboni [Trbn.]

Timpani [Tp.]
Gran Cassa [G.C.]

sul palco:
2 Chitarre [Ch.]
Tamburello Basco [Tmb. B.]

Violini I, Violini II [Vni]
Viole [Vle]
Violoncelli [Vc.]
Contrabbassi [Cb.]

INDICE

DON PASQUALE

SINFONIA

Gaetano Donizetti

Allegro

OTTAVINO

FLAUTO

OBOI

CLARINETTI *Do*

FAGOTTI

Do CORNI *La*

TROMBE *La*

a 2

TROMBONI

La-Re TIMPANI

GRAN CASSA

ff

Allegro

VIOLINI

VIOLE

VIOLONCELLI

CONTRABBASSI

ff

BMG RICORDI MUSIC PUBLISHING S.p.A.
Via G. Berchet 2 - 20121 MILANO

Andante mosso
Fg.
Andante mosso
Vle
Vc.
PIZZ.
I.
dolce
GLI ALTRI PIZZ.
Cor.
Do
Vni
Cb,
TUTTI PIZZ.

1
Fl.
Fg.
I.
Do
Cor.
La
III.
1
Vni
Vle
ARCO
I.
Vc.
GLI ALTRI
Cb.
rall.
Poco più
I.
Cor.
Do
In Re
rall.
ARCO
Poco più
ARCO
ARCO
TUTTI
ARCO

Ott.
Fl.
Ob.
Cl.
Do
Fg.
Re
Cor.
La
a 2
Trb.
La
a 2
Trbn.
Tp.
G.C.
Vni
DIV.
UNITE
Vle
Vc.
ARCO
Cb.

2
Moderato
Ob.
Cl. Do
Cor. Re
I.
p
sf
2
Moderato
p staccato e leggero
Vni
Vle
PIZZ.
Vc.
Cb.
Fl.
ARCO

Cl. Do
Cor. Re
rall.
a tempo
calando
I. II.
Vni
Vle
Vc.
Cb.
PIZZ.
Ott.
Fl.
Ob.
Fg.
a 2
ARCO

Ott.
Fl.
Ob.
Cl.
Do
Fg.
a 2
Re
Cor.
La
Trb.
La
I.
Trbn.
Tp.
Vni
Vle
Vc.
Cb.

Ott.
p staccato
Fl.
p stacc.
Ob.
a 2
p staccato
Cl. Do
p staccato
Fg.
p
a 2
Re
Cor.
La
a 2
p
Trb. La
p
stacc.
I.
Trbn.
Tp.
Vni
p staccato
p
Vle
p
DIV.
Vc.
p
Cb.
p

Ott.
Fl.
Ob.
Cl.
Do
Fg.
a 2
Re
Cor.
La
a 2
Trb.
La
I.
Trbn.
a 3
Tp.
Vni
PIZZ.
PIZZ.
UNITE
PIZZ.
Vle
PIZZ.
Vc.
(PIZZ.)
Cb.

3 Poco più
Ott.
ff
Fl.
Ob.
Cl.
Do
Fg.
Re
Cor.
La
Trb.
La
Trbn.
Tp.
f
G.C.
3 Poco più
ARCO
Vni
Vle
Vc.
Cb.

Ott.
Fl.
Ob.
Cl.
Do
Fg.
a 2
Re
Cor.
La
Trb.
La
Trbn.
I.II. a 2
Tp.
G.C.
Vni
Vle
Vc.
Cb.

Ott.
Fl.
Ob.
Cl.
Do
Fg.
a 2
Re
Cor.
La
a 2
Trb.
La
a 2
Trbn.
Tp.
G. C.
Vni
Vle
Cb.

Ott.
Fl.
Ob.
Cl.
Do
Fg.
Re
Cor.
La
Trb.
La
Trbn.
Tp.
G.C.
Vni
Vle
Vc.
Cb.
a 2
p
f
cresc.

4
rall. poco
a tempo
Ott.
Fl.
Ob.
Cl.
Do
Fg.
a 2
Cor.
Re
La
Trb.
La
Trbn.
Tp.
rall. poco
a tempo
Vni
Vle
Vc.
Cb.

Ott.
Fl.
Ob.
Cl.
Do
Fg.
Cor.
La
Trbn.
Tp.
Vle
Vc.
Cb.

Ott.
Fl.
Ob.
I.
Cl.
Do
I.
Fg.
a 2
Re
Cor.
La
I.
Trb.
La
Trbn.
Tp.
G.C.
Vni
Vle
Vc.
Cb.

calando
Ott.
Fl.
Ob.
Cl.
Do
Fg.
Re
Cor.
La
Trb.
La
Trbn.
Tp.
G. C.
calando
Vni
Vle
Vc.
Cb.

5
Più allegro
Ott.
Fl.
Ob.
I.
cresc. poco a poco
Cl.
Do
Fg.
cresc. poco a poco
Re
Cor.
La
cresc. poco a poco
Trb.
La
I.
Trbn.
I.
Tp.
G.C.
5
Più allegro
Vni
cresc. a poco a poco
cresc. a poco a poco
Vle
cresc. a poco a poco
Vc.
cresc. a poco a poco
Cb.

Più stretto
6
Ott.
Fl.
Ob.
I.
Cl.
Do
Fg.
Re
Cor.
La
Trb.
La
I.
Trbn.
Tp.
G.C.
Più stretto
6
Vni
Vle
Vc.
Cb.

Ott.
Fl.
Ob.
Cl.
Do
Fg.
a 2
Re
Cor.
La
a 2
Trb.
La
I.
Trbn.
Tp.
G.C.
Vni
Vle
Vc.
Cb.
ff

Ott.
Fl.
Ob.
Cl.
Do
Fg.
a 2
Re
Cor.
La
Trb.
La
Trbn.
I.
I.II. a 2
III.
Tp.
G.C.
Vni
Vle
Vc.
Cb.
p
ff
f

7
Ott.
Fl.
Ob.
Cl.
Do
a 2
Fg.
Re
Cor.
La
a 2
III.
a 2
Trb.
La
I.II.a 2
Trbn.
III.
Tp.
G.C.
7
Vni
Vle
Vc.
Cb.

Ott.
Fl.
Ob.
Cl. Do
Fg.
a 2
Cor. La
a 2
Trb. La
Trbn.
Tp.
C.

Ott.
Fl.
Ob.
Cl.
Do
Fg.
Re
Cor.
La
a 2
Trb.
La
Trbn.
Tp.
G C.
Vni
p
p
Vle
p
Vc.
Cb.

8
rall.
I.Tempo
p staccato e leggero
Vni
Vle
Vc.
Cb.
PIZZ.
PIZZ.
Fl.
Ob.
Cl.
Do
Cor.
Re
I.
sf
p

Ott.
Fl.
Ob.
Cl.
Do
Fg.
a 2
Re
Cor.
La
Trb.
La
I.
Trbn.
a 3
Tp.
PIZZ.
Vni
PIZZ.
PIZZ.
Vle
Vc.
Cb.

9
Poco più
Ott.
Fl.
Ob.
a 2
Cl.
Do
Fg.
Re
Cor.
La
Trb.
La
I.
Trbn.
Tp.
9
Poco più
ARCO
Vni
Vle
Vc.
Cb.

Più allegro
Ott.
Fl.
Ob.
Cl.
Do
a 2
Fg.
Re
Cor.
La
a 2
Trb.
La
I.
Trbn.
Tp.
G.C.
Più allegro
Vni
Vle
Vc.
Cb.

Ott.
Fl.
Ob.
Cl.
Do
Fg.
Rc
Cor.
La
Trb.
La
Trbn.
Tp.
G.C.
Vni
Vle
Vc.
Cb.
a 2
f

Ott.
Fl.
Ob.
Cl.
Do
Fg.
Rc
Cor.
La
Trb.
La
Trbn.
Tp.
G.C.
Vni
Vle
Vc.
Cb.
ff
a 2

Più allegro
10
Ott.
Fl.
Ob.
Cl.
Do
a 2
Fg.
Re
Cor.
La
Trb.
La
Trbn.
Tp.
G.C.
Più allegro
10
Vni
Vle
Vc.
Cb.

Ott.
Fl.
Ob.
a 2
a 2
a 2
Cl.
Do
Fg.
Re
Cor.
La
Trb.
La
Trbn.
Tp.
G.C.
Vni
3
Vle
3
Vc.
Cb.

Ott.
Fl.
Ob.
Cl.
Do
a 2
Fg.
Re
Cor.
La
Trb.
La
Trbn.
Tp.
G.C.
Vni
3
Vle
3
Vc.
Cb.

Ott.
Fl.
Ob.
Cl.
Do
Fg
Re
Cor.
La
a 2
a 2
a 2
a 2
Trb.
La
Trbn.
Tp.
G. C.
Vni
Vle
3
Vc.
Cb.

Ott.
Fl.
Ob.
Cl.
Do
Fg.
a 2
Re
Cor.
La
a 2
Trb.
La
a 2
Trbn.
Tp.
G. C.
Vni
Vle
Vc.
Cb.

Ott.
Fl.
Ob.
Cl.
Do
a 2
Fg.
Re
Cor.
La
Trb.
La
Trbn.
Tp.
G.C.
Vni
Vle
Vc.
Cb.

ATTO PRIMO
N.º 1. INTRODUZIONE
«DOTTORE - DON PASQUALE»

SCENA I. - Sala in casa di Don Pasquale, con porta in fondo d'entrata comune, e due porte laterali che guidano agli appartamenti interni.

11
Cl.
Do
Fg.
I.
p
Cor.
Do
DON PASQUALE
(passeggiando coll'orologio alla mano)
Son no.v'ore;
Vni
Vle
DIV.
Vc.
Cb.
D.Pas.
di ri _ tor.no il Dot.tore esser do _ vri.a.

Fg.
Cor.
Do
I.
Vni
Vle
Vc.
Cb.
a 2
12
Fl.
Ob.
Cl.
Do
Fg.
Do
Cor.
Fa
Trb.
Do
Tp.
DON PASQUALE
(ascoltando)
Zitto!...
parmi...
è fanta-
12
Vni
Vle
Vc.
Cb.
UNITE

I.
Fl.
Fg.
Cor.
Do
D.Pas.
-si-a...forse il vento che sof-fiò.
Che boccon di pil-lo-
Vni
Vle
Vc.
Cb.
Tp.
-li-na, ni-po-ti-no, vi pre-pa-ro!
vo'chiamarmi don So-ma-ro, vo'chiamarmi don So-

I.
Fl.
Ob.
Fg.
Cor.
Do
Tp.
D.Pas.
- ma_ro se veder non ve la fo, vo'chiamarmi don So_ maro, vo chiamarmi don So_ ma ro se veder non ve la
Vni
Vle
Vc.
Cb.
13
SCENA II.
IL DOTTORE
(di dentro)
È permesso?
- fo. A - vanti, a_van_ti.
DIV.

Ob.
Cl. Do
Fg.
Cor. Do
Tp.
Dott.
Zit - to, con pruden - za.
D.Pas.
Dunque?
Io mi struggo d'impa
Vni
Vle
Vc.
Cb.
Allegro moderato
Si tro - vò.
- zien - za. La spo - si - na?
Be - ne - detto! ah, be - ne -
UNITE

Fl.
Ob.
Cl.
Do
Fg.
a 2
Do
Cor.
Fa
Trb.
Do
Trbn.
Tp.
G.C.
Dott.
(Che bab_bio _ ne! che bab_bio _ - -
D. Pas.
_det - to!
Vni
DIV.
Vle
Vc.
Cb.

Fl.
Ob.
Cl.
Do
a 2
Fg.
Do
Cor.
Fa
In SI♭
In MI♭
In SI♭
Trb.
Do
In SI♭
Trb.
Tp.
G. C.
Dott.
- ne!)
Proprio quella che ci vuo_le,
proprio quella che ci
Vni
UNITE
Vle
Vc.
Cb.

rall. un poco
Fg.
a 2
Dott.
vuole. A - scol - ta - te, in due pa - ro - le il ri - trat - to ve ne fo.
DON PASQUALE
Son tut -
rall. un poco
Vni
Vle
PIZZ.
UNITI
Vc.
Cb.
Fl.
Ob.
Cl.
Sib
Mib
Cor.
Trb.
Trbn.
Tp.
U - di - te.
D. Pas.
- t'oc - chi, tut - t'o - rec - chie, mu - to, at - ten - to a u - dir vi sto.
ARCO

14 Larghetto cantabile
Cl. Sib
Cor. Mib
(con entusiasmo)
Dott.
Bel - la sicco-me un an-ge-lo in ter-ra pel-le-
14 Larghetto cantabile
Vni
p stacc.
Vle
PIZZ.
Vc.
Cb.
Cl. Sib
Fg.
Cor. Mib
Dott.
-gri - no, fre - sca sicco-me il gi - glio che s'apre sul mat-
Vni
Vle
Vc.
Cb.

accel.
Fl.
Ob.
Cl. Si♭
Fg.
Cor. Mi♭
Dott.
_ ti _ _ no, oc _ chio che parla e ri _ de, sguar _ do che i cor con _
accel.
Vni
Vle
ARCO
Vc.
Cb.
I.
a 2
p
dolce
PIZZ.
_ quide, chio _ ma che vin _ ce l'e _ ba _ no, sor _ ri _ so in _ can _ ta _ tor, sorriso incanta _

Poco più
rall.
Fl.
Ob.
Cl.
Si ♭
Fg.
Mi ♭
Cor.
Si ♭
a 2
Trb.
Si ♭
Trbn.
Dott.
_tor.
DON PASQUALE
Sposa si_mi_le! oh giu _ bi_lo! non cape in pet_to in pet _ to il cor.
Poco più
rall.
Vni
Vle
ARCO
Vc.
ARCO
Cb.

a tempo
rall.
15
I. Tempo
Cl. Si♭
Fg.
Cor. Mi♭
Dott.
calando
Al _ ma in _ nocen _ te, in _ ge _ nu _ a,
Vni
Vle
Vc.
Cb.
PIZZ.
che sè me _ de _ sma i _ gno _ ra, mo _ de _ stia impa _ reg _ gia _ bi _ le, bon _

Fl.
Ob.
Cl. Si♭
Fg.
Cor. Mi♭
Dott.
-tà chev'in - na-mo - - ra. Ai mi-se-ri pie-to - - sa, gen-
Vni
Vle
Vc.
Cb.
accel.
-til, dol - ce,a-mo - ro-sa, il ciel l'hafat - ta na-sce-re
accel.
ARCO
PIZZ.

accel.
Fl.
Ob.
Cl. Si♭
Fg.
Mi♭
Cor.
Si♭
Trbn.
Dott.
per far be_a_to un cor, be_a_to un cor, il ciel l'ha fat_ta na_scere per far bea_to un
DON PASQUALE
Oh giu_bilo! Oh giubilo!
accel.
Vni
Vle
Vc.
Cb.

Fl.
Ob.
Cl. Si♭
Fg.
Mi♭
Cor.
Si♭
Trb. Si♭
Trbn.
Dott.
cor, per far be_a to un cor, il ciel l'ha fat_ta na_scere per far be_a_to, be_a
D. Pas.
Ah!
Vni
Vle
Vc.
ARCO
Cb

16
Moderato
Ob.
Cl. Si♭
Fg.
Cor. Mi♭
I. II.
Dott.
to, per far be_a_to _ un cor.
Agia_ta, o_
D.Pas.
Fa_miglia?
16
Moderato
Vni
Vle
Vc.
Cb.
Ob.
Cl. Si♭
Fg.
Cor. Mi♭
I. II.
Dott.
(con intenzione)
_ne_sta.
Ma_la _ te_sta.
Alla lontana un
D.Pas.
Il no_me?
Sarà vostra pa_ren_te?
Vni
Vle
Vc.
Cb.

Allegro
Fl.
a 2
Ob.
Cl. Si♭
Fg.
a 2
Mi♭
Cor.
Si♭
a 2
a 2
Trb. Si♭
a 2
Trbn.
a 3
a 3
a 3
Tp.
Dott.
po! Èmiaso - rel - la!
D.Pas.
Vostra parente? Oh, gio - ia! E quandodi ve.
Allegro
Vni
Vle
Vc.
Cb.

Fl.
a 2
Ob.
Cl. Si ♭
Fg.
Mi ♭
Cor.
Si ♭
Trb. Si ♭
a 3
Trbn.
Tp.
Dott.
Sta_se_ra sul cre_pu_scolo.
D.Pas.
_derla, quando mi fia con_cesso?
Sta_sera? Adesso, a_
Vni
Vle.
Vc.
Cb.

Fl.
Ob.
Cl. Si♭
Fg.
Cor. Mi♭
Dott.
D.Pas.
Vni
Vle
Vc.
Cb.
I.
I.II.
Frenate il vostro ar_do_re, fre_nate il vostro ar_
_desso, per cari_tà, Dot_to_re! per ca_ri_tà, Dot_to_re!
_dore, que_ta_te_vi, cal_matevi.
Frenate il vostro ar_dore.
Ah, per ca_ri_tà, Dot_to_re!
Ah, Dot_tor per ca_ri_
PIZZ.

Lento
Fl.
I.
Ob.
Cl.
Si♭
In Do
Fg.
Mi♭
Cor.
Si♭
In Fa
Trb.
Si♭
Trbn.
(con aria di mistero)
a piacere
(in segreto)
Dott.
Fra po_co qui ver_rà.
Pre_pa_ra_tevi,
e ve la por_to
(stordito)
D.Pas.
_ tà!
Dav_vero?
Lento
Vni
Vle
ARCO
Vc.
Cb.

17 Vivace
Fl.
p cresc: poco a poco
Ob.
p cresc: poco a poco
Cl. Do
a 2
p cresc: poco a poco
Fg.
p cresc: poco a poco
Do
Cor.
Fa
p cresc: poco a poco
III.
Trb. Do
p cresc: poco a poco
I.
Trbn.
p cresc: poco a poco
Tp.
p
cresc: poco a poco
Dott.
qua. Cal_ma_te_vi. Mau_di_te... Sì,
(lo abbraccia)
D.Pas.
Oh ca_ro! Oh ca_ro! Non fiata_te...
17 Vivace
Vni
p cresc: poco a poco
p cresc: poco a poco
Vle
p cresc: poco a poco
Vc.
p cresc: poco a poco
Cb.
p cresc: poco a poco

Fl.
Ob.
Cl.
Do
Fg.
Do
Cor
Fa
Trb.
Do
Trbn.
Tp.
Dott.
ma...
se...
D.Pas.
Non c'è ma, non c'è ma, cor_re_te, cor - re_te, o ca_sco morto
Vni
Vle
Vc.
Cb.

Fl.
a 2
Ob.
Cl.
Do
Fg.
Do
Cor.
Fa
Trb.
Do
I.
Trbn.
Tp.
D.Pas.
qua.
Ah!
Vni
UNITE
Vle
Vc.
Cb.

18 Vivace a tempo
Ott.
Fl.
Ob.
I.
Cl. Do
Fg.
Do
Cor.
Fa
III.
Trb. Do
D.Pas.
un fo.co in _ so_li.to mi sen.to ad _ dos _ so, omai re _ sistere io più non pos _ so. Del l'e_tà
Vni
Vle
PIZZ.
Vc.
Cb.

Ott.
Fl.
Ob.
Cl.
Do
Fg.
Do
Cor.
Fa
Trb.
Do
D.Pas.
vec_chia scordo i ma _ lan_ni, mi sen_to giovi_ne come a vent'an_ni. Deh! cara, af_fret_tati, vieni, spo.
Vni
Vle
Vc.
Cb.

cresc. poco a poco
Ott.
Fl.
Ob.
Cl.
Do
Fg.
Do
Cor.
Fa
Trb.
Do
Trbn.
Tp.
D. Pas.
- si - na! Ec-co, di bam-bo-li mezza doz-zi - na già veg-go na-scere, già veg-go cre-scere,
cresc. poco a poco
Vni
Vle
Vc.
Cb.

Ott.
Fl.
Ob.
Cl. Do
Fg.
Do Cor. Fa
Trb. Do
Trbn.
Tp.
G. C.
D.Pas.
a me d'in_tor _ no veggo scherzar, veg_go già na_scere, veggo già cre_scere, a me d'in_
Vni
Vle
Vc.
Cb.

Ott.
Fl.
Ob.
Cl.
Do
Fg.
Do
Cor
Fa
a 2
Trb.
Do
a 2
Trbn.
Tp.
G. C.
D.Pas.
-tor - no veg-go scher-zar.
Vie - ni, vie - ni,
Vni
Vle
ARCO
Vc.
ARCO
Cb.

Ott.
Fl.
Ob.
Cl. Do
Fg.
a 2
Do
Cor.
Fa
Trb. Do
Trbn.
Tp.
G. C.
D.Pas.
chèunfocoin_solitomisentoad_dos_so, o ca_sco mor_to qua.
Vni
Vle
Vc.
Cb.

19
Ott.
Fl.
Ob.
Cl.
Do
Fg.
a 2
Do
Cor.
Fa
a 2
III.
Trb.
Do
Trbn.
Tp.
G. C.
D. Pas.
Ah!
un fo_co in _ so_ li_to mi sen_ to ad_
19
Vni
Vle
Vc.
Cb.
PIZZ.
PIZZ.

Ott.
Fl.
I.
Ob.
Cl.
Do
a 2
Fg.
p
Do
Cor.
III.
Fa
Trb.
Do
p
D.Pas.
-dos-so, o mai re-si-ste-re io più non pos-so. Del-l'e-tà vec-chia scordo i ma-lan-ni,
Vni
Vle
Ve.
Cb.

Ott.
Fl.
Ob.
Cl.
Do
Fg.
a 2
I.
Do
Cor.
Fa
a 2
III.
Trb.
Do
D.Pas.
mi sen_to gio_vi_ne come a ven_t'an_ni. Deh! ca_ra, af_fret_ta_ti, vie_ni, spo_si_na! Ec_co di
cresc poco a poco
Vni
Vle
Vc.
Cb.

Ott.
Fl.
Ob.
Cl.
Do
Fg.
Do
Cor.
Fa
Trb.
Do
Trbn.
Tp.
D.Pas.
bam_boli mezza doz_zi _ na già veg_go na_scere, già veg_go cre_scere, a me d'in_tor _ no
Vni
Vle
Vc.
Cb.
cresc.
I.
III.

Ott.
Fl.
Ob.
Cl. Do
Fg.
Do
Cor.
Fa
Trb. Do
Trbn.
Tp.
G. C.
D. Pas.
veggo scherzar, veggo già na_scere, veg_go già cre_scere, a me d'in_tor_no veg_go scher_
Vni
Vle
Vc.
Cb.
ARCO

20 Più mosso
Ott.
Fl.
Ob.
Cl. Do
Fg.
Do Cor. Fa
Trb. Do
Trbn.
Tp.
D.Pas.
cresc.
a 2
f cresc.
I.
_zar. Deh! vieni, affret_ta_ti, bel_la spo_si _ na! Già, già di bam_boli mez_za doz_
20 Più mosso
Vni
Vle
ARCO
Vc.
Cb.

Ott.
Fl.
Ob.
Cl.
Do
Fg.
a 2
Do
Cor.
Fa
Trb.
Do
I.
Trbn.
Tp.
G. C.
D.Pas.
Vni
Vle
Vc.
Cb.
ff
f
cresc.
_zi_ _ na a me d'in_tor _ _ no veg _ go scher_zar. Deh! vieni, af_

Ott.
Fl.
Ob.
Cl. Do
Fg.
a 2
f cresc.
Do
Cor.
Fa
a 2
Trb. Do
I.
Trbn.
f cresc.
Tp.
D.Pas.
-fret - ta-ti, bel-la spo - si - na! Già, già di bam-bo-li mez-za doz - zi - na a me d'in-
Vni
Vle
cresc.
f
Vc.
cresc.
f
Cb.

Ott.
Fl.
Ob.
Cl. Do
Fg.
Do
Cor
Fa
a 2
Trb. Do
Trbn.
Tp.
G. C.
D. Pas.
-tor - no veg - go scher-zar, a me d'in-tor - no veg-go scher-
Vni
Vle
DIV.
Vc.
Cb.

Ott.
Fl.
Ob.
Cl.
Do
Fg
a 2
Do
Cor.
Fa
Trb.
Do
Trbn.
Tp.
G. C.
D. Pas.
-zar, a me d'in - tor - no veg-go scher-zar, a me d'in-tor - - no
Vni
Vle
UNITE
DIV.
Vc.
Cb.

Ott.
Fl.
Ob.
a 2
Cl.
Do
Fg.
Do
Cor.
Fa
Trb.
Do
Trbn.
Tp.
G.C.
D.Pas.
veg - go scher_zar.
Vni
UNITE
Vle
Vc.
Cb.

N° 2. RECITATIVO E DUETTO

«ERNESTO - DON PASQUALE»

I.
Fl.
Ob.
Cl.
Do
Fg.
D. Pas.
Giungete a tempo. Stavo per man_
Vni
UNITE
Vle
Vc.
ARCO
Cb.
D. Pas.
_darvi a chiamare. Fa_vo _ ri _ te.
Non vo' farvi un sermo_ne, vi do_
Vni
Vle
Vc.
Cb.

D. Pas.
-mando un minuto d'attenzione. È ve-ro o non è ve-ro che, sa-ranno due mesi, io v'offersi la
Vni
Vle
UNITI
Vc.
Cb.
ERNESTO
È ve-ro.
D. Pas.
mand'u-na zi-tel-la no-bi-le, ric-ca e bel-la? Prometten-do-vi per
Vni
Vle
Vc.
Cb.
Ern.
È ve-ro.
D. Pas.
giun-ta un bello assegnamen-to, e alla mia morte quan-to pos-sie-do? Minac-
Vni
Vle
Vc.
Cb.

D. Pas.
-ciando, in caso di ri - fiuto, di - se-re-darvi, e, a torvi ogni spe-ranza, ammogliarmi, se è
Vc.
Cb.
ERNESTO (sospirando)
È ve-ro.
Nol pos-so;
D. Pas.
d'uopo? Or be-ne, la sposa che v'of-fersi, or son due mesi, ve l'offro an-cor.
Vni
Vle
Vc.
Cb.
Andantino
Ob.
Ern.
a - mo No-ri - na, la mia fe - d'è im-pe-gnata...
D. Pas.
Sì, con u-na spian-
Andantino
Vni
DIV.
Vle
Vc.
Cb.
Ern.
Ri-spet-ta - te u-na gio-vi-ne po-ve-ra, ma o-no - ra - ta e vir-tu -
D. Pas.
-ta - ta.
Vc.
Cb.

Ern.
-o - sa.
Ir - re-vo-ca-bil - men-te.
D. Pas.
Sie-te proprio de - ci - so?
Or ben, pen-
Vni
Vle
UNITE
Vc.
Cb.
Ern.
Co-sì mi di-scac-cia-te?
D. Pas.
-sa-te a tro-varvi un al - loggio.
La vostra osti-na-
Vni
Vle
Vc.
Cb.
D. Pas.
-zio-ne d'ogni impe-gno mi scioglie. Fa-te di provve-dervi: io prendo mo-glie.
Vni
Vle
Vc.
Cb.

21 Moderato
Ott.
Fl.
I.
Ob.
a 2
I.
Cl. Si♭
p stacc.
Fg.
a 2
Cor. Mi♭
I.II.
p stacc.
Trbn.
Tp.
ERNESTO
Prender moglie!
D. Pas.
Sì, si_gnore.
21
Moderato
PIZZ.
ARCO
Vni
Vle
Vc.
Cb.

Fl.
Ob.
I.
Cl.
Si ♭
Fg.
p
Cor.
Mi ♭
I.II.
Trbn.
f
Tp.
f
Ern.
Vo_i?...
Per_ donate la sor_
D. Pas.
Quel desso in carne ed ossa.
Vni
ARCO
PIZZ.
ARCO
f
p
Vle
Vc.
Cb.

Ott.
Fl.
I.
Ob.
Cl. Si ♭
Fg.
I.II.
Mi ♭
Cor.
Si ♭
a 2
a 2
Trb. Si ♭
Trbn.
Tp.
Enr.
-presa...
(Oh, questa è grossa!) Voi prender moglie?
D. Pas.
(con impazienza)
Io prendo moglie.
L'ho detto e lo ri-peto.
PIZZ.
ARCO
Vni
Vle
Vc.
Cb.

22
I.
Cl.
Si ♭
Fg.
Mi ♭
Cor.
III.
Si ♭
D. Pas.
Io, Pasquale da Cor_neto, possi_dente, qui pre_sente, qui presente in carne ed ossa, qui presente in carne e
22
DIV.
Vni
p stacc.
Vle
UNITI
Vc.
Cb.
Fl.
Ob.
Cl.
Si ♭
Fg.
Mi ♭
Cor.
Si ♭
Trb.
Si ♭
D. Pas.
ossa, d'annunziarvi ho l'alto o_nore, io, Pasquale da Cor_neto, che mi vado ad ammogliar, che mi vado ad ammo
Vni
Vle
Vc.
Cb.

Fl.
Ob.
I.
Cl.
Si♭
Fg.
Mi♭
Cor.
Si♭
p
Trb.
Si♭
Trbn.
p
Tp.
p
ERNESTO
Voi scher - za - te!
Sì, sì, scher - zate.
D. Pas.
-gliar.
Scherzo un cor - no.
Lo vedrete al nuovo
Vni
Vle
Vc.
Cb.

Fl.
Ob.
I.
Cl. Si♭
Fg.
p
Mi♭
Cor.
Si♭
Trb. Si♭
Trbn.
Tp.
D. Pas.
giorno. Sono, è vero, stagio_nato, ma ben molto conser_vato, e per forza e vigo_ri_a me ne sen_to da pre_
Vni
Vle
Vc.
PIZZ.
Cb.

Ott.
Fl.
Ob.
Cl. Si♭
Fg.
a 2
Mi♭
Cor.
Si♭
a 2
Trb. Si♭
Trbn.
a 3
Tp.
D. Pas.
-star.
Voi frattanto, signo-ri-no,
preparatevi a sfrat-
UNITI
Vni
Vle
ARCO
Vc.
Cb.

Ott.
Fl.
Ob.
Cl. Si♭
Fg.
Mi♭
Cor.
Si♭
Trb. Si♭
Trbn.
Tp.
D. Pos.
_tar, voi frattanto, signo _ rino, preparatevi a sfrat_tar, ___ pre _ pa_ra _ tevi a sfrat _
Vni
Vle
Vc.
Cb.

rall.
Ott.
Fl.
Ob.
Cl. Si♭
Fg.
Mi♭
Cor.
Si♭
Trb. Si♭
Trbn.
ERNESTO
(Ci volea questa ma_ni_a i miei piani a rove_sciar, a ro _ve_sciar!)
D. Pas.
_tar.
rall.
Vni
Vle
Vc.
Cb.

23 Cantabile
Cl. Si♭
Fg.
Cor. Mi♭
Ern.
(Sogno soave e casto de' miei prim'anni, ad
23 Cantabile
PIZZ.
Vni
Vle
Vc.
Cb.
Fl.
Ob.
di - o. Bramai ricchezze e fasto solo per te, ben

Fl.
Ob.
Cl. Si♭
Fg.
Cor. Mi♭
Ern.
mi - o: po - vero, abban - do - na - to, ca -
DON PASQUALE
(Ma veh, che origi - na - le!
che tanghero ostinato, che tanghero osti -
Vni
Vle
Vc.
Cb.
- du - to in bas - so sta - to, pria che veder - ti
D. Pas.
- na - to!
che tanghero ostina - to, che tanghero osti - na - to!
cresc.

Fl.
Cl. Si ♭
Fg.
Cor. Mi ♭
Trbn.
Ern.
D. Pas.
Vni
Vle
Vc.
Cb.
I.
ARCO
PIZZ.
mi - se - ra, ca - - ra,
Ades-so manco ma - le, mi par capa-ci - ta - to: ben so dove gli duo - le, ben so dove gli
Ob.
ca - - ra, ca - ra, ri - nun - zio a
duo - le, ma è desso che lo vuo - le, ma è desso che lo vuo - le, non altri che sè stes - so egli incolpar ne

Fl.
Ob.
Cl. Si♭
Fg.
Cor. Mi♭
Trbn.
Ern.
te, pria che veder - ti mi - sera, cara, rinun - zio a te, sì, ca - ra,
D. Pas.
de', ben so dove gli duo - le, ben so dove gli duol,
ARCO
Vni
Vle
Vc.
Cb.
ca - ra, ca - ra, ri - nun zio, rinun zio a te, ri -
non altri che sè stesso egli incolpar ne de'.
Adesso, manco male, manco male, manco

Fl.
Ob.
Cl. Si ♭
Fg.
Cor. Mi ♭
Ern.
_nun _ zio a te, ri _ nun _ zio, pria
D.Pas.
ma_le, adesso manco ma_le, mi par capaci_ta _ to,
Vni
Vle
Vc.
Cb.
che vederti mi_se_ra, ri _ nunzio, o ca _ ra, a te.
mi par capacita_to: meno ma_le.)

24
Allegro moderato
Ott.
Fl.
Ob.
I.
Cl. Si♭
Fg.
Mi♭
Cor.
Si♭
a 2
Trb. Si♭
Trbn.
Ern.
Due parole ancor di volo.
D.Pas.
Son qui tutto ad ascol_
Vni
Vle
Vc.
ARCO
Cb.

Ott.
Fl.
Ob.
I.
Cl. Si ♭
Fg.
Mi ♭
Cor.
Si ♭
Trb. Si ♭
a 2
Trbn.
I. p
I. p.
Ern.
In_gan_nar si puote un so_lo: ben fa_re_ste a consi - gliar_vi.
D. Pas.
_tar_vi.
Vni
PIZZ.
ARCO
Vle
Vc.
Cb.

Ott.
Fl.
Ob.
Cl. Si♭
Fg.
Mi♭
Cor.
Si♭
Trb. Si♭
Trbn.
Ern.
Il dottore Ma_la _ testa è per_sona grave, o _ nesta. Con_sul_
D. Pas.
L'ho per ta _ le.
Vni
ARCO
PIZZ.
Vle
Vc.
Cb.

Ott.
Fl.
Ob.
I.
Cl. Si♭
Fg.
Mi♭
Cor.
Si♭
Trb. Si♭
Trbn.
Tp.
Ern.
-ta - telo.
Vi scon - si - glia!
D. Pas.
È già bello e consul - tato.
Anzi, al con_trario, m'incoraggia, n'è incan_
ARCO
Vni
Vle
Vc.
Cb.

rall.
Ott.
Fl.
Ob.
Cl.
Si♭
I.
Fg.
I.
Mi♭
Cor.
Si♭
a 2
a 2
Trb.
Si♭
a 2
Trbn.
Tp.
(colpitissimo)
Ern.
Come? co_me? oh questo po_i...
(confidenzialmente)
D.Pas.
_tato. Anzi, a dirla qui fra no_i, anzi, a dirla qui fra no_i, la...ca_
rall.
Vni
Vle
Vc.
Cb.

col canto
Allegro
Ott.
Fl.
Ob.
Cl. Si♭
Fg.
Mi♭
Cor.
Si♭
a 2
Trb. Si♭
a 2
Trbn.
Tp.
(agitatissimo)
Ern.
Sua so_rel _ la! Che mai
D. Pas.
_pite?... la zi_tella... ma, si_lenzio!.. è sua so_rel _ la.
col canto
Allegro
Vni
Vle
Vc.
Cb.

Ott.
Fl.
Ob.
Cl. Si♭
Fg.
Mi♭
Cor.
Si♭
a 2
Trb. Si♭
a 2
Trbn.
Tp.
Ern.
sen _ to! Sua so_rel _ la!
Del dot_tor? Del dot_tor? (Ah!
D.Pas.
Sua so_rel_la.
Del dottor.
Vni
Vle
Vc.
Cb.

25 Allegro moderato
Cl. Sib
Fg.
Mib Cor. Sib
Ern.
Mi fa il destin men - di - co, per - do colei che ado - ro, in chi credeva a
25 Allegro moderato
PIZZ.
Vni
Vle
UNITI PIZZ.
Vc. Cb.
Ob.
Cl. Sib
Fg.
Mib Cor. Sib
a 2
Ern.
- mi - co, ah! di - scopro un tradi - tor! D'o - gni confor - to pri - vo,
Vni
Vle
Vc. Cb.

Ob.
Cl. Sib
Ern.
mi_sero,a che pur vi _ vo? Ah! non si dà mar _ to _ ro egual al mio mar _ tor.
Vni
Vle
Vc. Cb.
accel. poco a poco
Ott.
Fl.
Ob.
Cl. Sib
Fg.
Mib Cor. Sib
a 2
Trb. Sib
Trbn.
Tp.
Ern.
D'o _ gni confor _ to pri _ vo, mi _ sero, a che pur vi _ vo? Ah! non si dà mar_
accel. poco a poco e cresc.
ARCO
PIZZ.
Vni
Vle
Vc. Cb.

106
26 Più mosso
Ott.
Fl.
Ob.
Cl. Si♭
Fg.
Mi♭ Cor. Si♭
a 2
Trb. Si♭
Trbn.
Tp.
Ern.
tor egua _ _ le, al mio mar_ _ tor!)
DON PASQUALE
(L'ami _ co è bello e cot_to, cot_to, cot_to, cot_to,
26 Più mosso
Vni
ARCO
Vle
Vc.
Cb.
P. R, 36

Ott.
Fl.
Ob.
Cl. Si♭
Fg.
Mi♭
Cor.
Si♭
a 2
Trb. Si♭
Trbn.
Tp.
D. Pas.
p
cot_to, non o - sa fa_re un mot - to, non o - sa fa_re un motto, in sasso s'è can_
Vni
Vle
Vc.
Cb.

cresc. poco a poco
Ob.
Fg.
Cor. Sib
I.
D. Pas.
-gia-to, in sasso s'è can-giato, l'affoga il crepa-cuor, l'affoga il crepa-cuor, in sasso s'è can
Vni
Vle
Vc.
Cb.
p. cresc. poco a poco
27 I. Tempo
Ob.
Cl. Sib
a 2
Fg.
I.
Mib Cor. Sib
Trb. Sib
Trbn.
II. III. a 2
Tp.
D. Pas.
-gia-to, l'affoga il crepa-cuor, l'affo-ga, l'af-fo-ga il cre-pa-cuor. Si ro-da, gli sta
27 I. Tempo
Vni
Vle
Vc.
PIZZ.
Cb.
PIZZ.

Ob.
ERNESTO
(D'o - gni confor - to pri - vo, mi - sero, a che pur vi - vo?
D.Pas.
bene, bene, bene, bene, bene, ha quel che gli con-viene, ha quel che gli con-viene; impa-ri lo sven-
PIZZ.
Vni
Vle
Vc.
Cb.
Ob.
Cl. Si♭
Ern.
Ah! non si dà mar - to - ro e-gual al mio mar - tor,
D. Pas.
-ta-to, lo sven-ta-to, lo sven - ta-to a fare il bell'u - mor, impa-ri lo sven-ta-to,
Vni
Vle
Vc.
Cb.

accel.
Ott.
Fl.
Ob.
Cl. Si♭
Fg.
cresc. poco a poco
Mi♭
Cor.
Si♭
a 2
Trb. Si♭
Trbn.
Tp.
Ern.
D'o - - gni confor - to pri - vo, mi - se - ro, a che pur
D. Pas.
Ah ah ah ah ah ah ah ah ah!
si roda, gli sta bene, bene, bene, bene,
accel.
ARCO
PIZZ.
Vni
cresc. poco a poco
Vle
Vc.
Cb.

Ott.
Fl.
Ob.
Cl. Sib
Fg.
Mib
Cor.
Sib
a 2
I.
Trb. Sib
Trbn.
Tp.
Ern.
vi - vo? ah! non si dà mar - to - ro egua - le al mi o mar -
D. Pas.
bene, ha quel che gli con viene, proprio quel che gli conviene, im pari lo sventa to,
Vni
Vle
Vc.
Cb.

28 Più mosso
Ott.
Fl.
Ob.
Cl. Si♭
Fg.
a 2
Mi♭
Cor.
Si♭
Trb. Si♭
I
Trbn.
II. III. a 2
Tp.
Ern.
-tor, ah! non si dà mar-to - ro e - gua - le al
D. Pas.
si ro-da, gli sta bene, bene, bene, be-ne, be - ne, im-pari lo sven-ta - to a
28 Più mosso
Vni
ARCO
Vle
Vc.
Cb.

Ott.
Fl.
Ob.
Cl. Si♭
Fg.
a 2
Mi♭
Cor.
Si♭
a 2
Trb. Si♭
a 2
I.
Trbn.
II. III.
a 2
Tp.
Ern.
mio mar - tor, ah! non si dà mar_to - ro e-
D. Pas.
fa - re il bel - l'u - mor, si roda, gli sta bene, bene, bene, bene, be - ne, impari lo sven_
Vni
Vle
Vc.
Cb.

Ott.
Fl.
Ob.
Cl.
Sib
a 2
Fg.
Mib
Cor.
Sib
a 2
Trb.
Sib
Trbn.
Tp.
Ern.
-gua - le al mio mar - tor, al mio mar - tor, al
D. Pas.
-ta - to a fa - re il bel - l'u - mor, ah ah! im - pari a fare il bell'u - mor, ah ah! ah
Vni
Vle
Vc.
Cb.

Ott.
Fl.
Ob.
Cl. Sib
Fg.
Mib
Cor.
Sib
Trb. Sib
Trbn.
Tp.
Ern.
mio mar - tor, al mio mar - tor, al mio mar - tor, al mio mar -
D. Pas.
ah! a fare il bell'u - mor, il bel - l'u - mor, il bel - l'u - mor, il bel - l'u -
Vni
Vle
Vc.
Cb.

Ott.
Fl.
Ob.
Cl. Sib
Fg.
Mib
Cor.
Sib
a 2
a 2
Trb. Sib
Trbn.
Tp.
(partono)
Ern.
-tor.
D. Pas.
-mor.)
Vni
Vle
Vc.
Cb.

Ott.
Fl.
Ob.
Cl.
Sib
Fg.
Mib
Cor.
Sib
a 2
Trb.
Sib
Trbn.
Tp.
Vni
Vle
Vc.
Cb.

N.º 3. CAVATINA

«NORINA»

SCENA IV. - Stanza in casa di Norina.

I.
Fl.
I.
Ob.
Cl. Do
Fg.
Sol
Cr.
Re
NORINA
(leggendo)
Quel guardo il ca - va - lie - re in mezzo al cor tra -
Vni
DIVISE
Vle
PIZZ.
Vc.
PIZZ.
Cb.
Cl. Do
Fg.
Nor.
-fis - se, piegò il gi - noc - chio e dis - se: son vostro ca - va -
ARCO
ARCO

Fl.
Ob.
Cl.
Do
Fg.
Nor.
-lier. E tan-to e-ra in quel guar - do sa-por di pa - ra-
Vni
Vle
Vc.
Cb.
-di - so— che il ca-va-lier Ric-car-do— tut-to d'a-mor con-

rall.
Fl.
Ob.
Cl.
Do
Fg.
a 2
In SI♭
Sol
Cor.
Re
In MI♭
III.
Trb.
Do
Trbn.
In MI♭
Tp.
(ride e getta il libro)
Nor.
-qui - so, giu-rò che ad al - tra ma - i non volgeria il pensier. Ah ah! ah ah!
Vni
UNITE
Vle
Vc.
Cb.

29 Allegretto
Fl.
Ob.
Cl. Sib
Fg.
Mib Cor. Sib
a 2
Trb. Sib
29 Allegretto
Vni
PIZZ.
ARCO
Vle
Vc.
Cb.
calando
a tempo
Cor. Mib
I.II.
NORINA
So anch'io la vir_tù ma_gica d'un guardo a tempo e lo _ co, so an
(PIZZ.)

Fl.
Ob.
Cl. Sib
Fg.
Cor. Mib
Nor.
-ch'io come si bruciano i cori a len-to fo-co; d'un bre-ve sor-ri-set-to co-nosco anch'io l'ef-
Vni
Vle
Vc.
Cb.
col canto
a tempo
rall.
-fet-to, di men-zogne-ra la-grima, d'un su-bi-to languor. Co-nosco i mil-le mo-di del-
ARCO

Fl.
Ob.
Fg.
Cor. Mib
Nor.
-l'a-mo-ro - se fro - di, i vezzi e l'ar-ti fa - cili per a - descare un cor. D'un bre-ve sor-ri-
Vni
Vle
Vc.
Cb.
ARCO
Fl.
Ob.
Cl. Sib
Fg.
Mib Cor. Sib
Nor.
-set - to co-no-sco anch'io l'ef-fet - to, co-no - sco, co-no - sco, d'un su-bito languor; so an-
Vni
Vle
Vc.
Cb.

Fl.
Ob.
Cl. Si♭
Fg.
Mi♭ Cor. Si♭
Trb. Si♭
Trbn.
Tp.
in MI♭
in SI♭
Nor.
_ch'io la vir_tù ma_gica per in_spirare a mor,_ co_no_ sco l'effet_to, ah! sì, ah!_
Vni
Vle
Vc.
Cb.

30
Più mosso
I.
II.
a 2
Fl.
Ob.
Cl. Si♭
Fg.
Mi♭
Cor.
Si♭
Trb. Si♭
Trbn.
Tp.
Nor.
rall. a poco
si per inspira - re a - mor.
Ho testa biz-
30
Più mosso
Vni
Vle
Vc.
Cb.

Fl.
Ob.
Fg.
Cor. Mib
Nor.
Vni
Vle
Vc.
Cb.
I.
p
_zar_ra, son pronta, vi _ va_ce...
son pron_ta, vi _ va_ce, bril_la_re mi
col canto
rall.
con forza
piace, mi piace scherzar,
mi piace scherzar. Se monto in fu _ ro_re, di ra_do sto al

a tempo
a tempo
col canto
Fl.
Ob.
Cl. Si♭
Fg.
a 2
Mi♭
Cor.
Si♭
Trb. Si♭
Trbn.
Tp.
rall.
(ridendo)
Nor.
segno,
ma in ri_so lo sdegno fo presto a cangiar.
a tempo
a tempo
col canto
Vni
Vle
Vc.
Cb.

a tempo
col canto
Fl.
Ob.
Cl. Sib
Fg.
Mib
Cor.
Sib
a 2
Trb. Sib
Trbn.
Tp.
rall.
Nor.
Ho testa bizzar - ra, ma core eccel_len - te, ma core eccel_len - -
Vni
Vle
DIV.
Vc.
Cb.

31
Fl.
I.
p
Ob.
I.
p
Cl.
Sib
Fg.
p
a 2
Mib
Cor.
Sib
p
Trb.
Sib
a 2
Trbn.
Tp.
tr
calando
Nor.
te.
Ah!
31
Vni
PIZZ.
p
UNITE
PIZZ.
Vle
p
Vc.
PIZZ.
p
Cb.
PIZZ.
p

Fl.
Ob.
Cl. Sib
Fg.
Cor. Mib
Nor.
so anch'io come si bru_ciano i co_ri a len_to fo - co: d'un bre_ve sor_ri_set - to co_
Vni
Vle
Vc.
Cb.
rall.
a tempo
-nosco anch'io l'ef_fet - to, di men_zogne_ra la_grima, d'un su_bi_to languor, co_nosco i mil_le
ARCO
ARCO

Fl.
Ob.
Nor.
mo_di del_l'a_moro_se fro_di, i vezzi e l'ar_ti fa_cili per a_descare un cor. D'un
Vni
Vle
ARCO
Vc.
Fl.
Ob.
Cl. Sib
Fg.
Mib Cor. Sib
Nor.
bre_ve sor_ri_set_to co_nosco anch'io l'ef_fet_to, co_no_sco, co_no_sco d'un su_bito lan_
Vni
Vle
Vc.
ARCO
Cb.

Fl.
Ob.
Cl. Si♭
Fg.
Mi♭ Cor. Si♭
Trb. Si♭
Trbn.
In MI♭
In SI♭
Tp.
Nor.
-guor. So anch'io la vir-tù ma-gi-ca per in-spira-re a-mor, co-no-sco l'ef-fet-to, ah
Vni
Vle
Vc.
Cb.

32
Poco più
Fl.
Ob.
Cl. Sib
Fg.
Mib Cor. Sib
a 2
Trb. Sib
Trbn.
Tp.
Nor.
sì, ah! sì, per inspira_re a_mor.
6
32
Poco più
Vni
Vle
Vc.
Cb.
f

Fl.
Ob.
Cl. Sib
Fg.
Mib Cor. Sib
a 2
Trb. Sib
Trbn.
Tp.
Vor.
Ho testa biz_zarra, son pronta e vi_vace,
brilla_re mi
Vni
Vle
Vc.
Cb.
III.
leggerissime
piace, mi piace scherzar,
ah!

a 2
Fl.
Ob.
Cl.
Sib
I.
Fg.
Mib
Cor.
Sib
Trb.
Sib
Trbn.
Tp.
Nor.
mi pia - ce, mi pia - ce scher_zar, ho te - sta vi
Vni
Vle
Vc.
Cb.

Fl.
Ob.
Cl. Si♭
Fg.
Mi♭
Cor.
Si♭
Trb. Si♭
Trbn.
Tp.
Nor.
-va - ce, mi pia - ce scherzar, ho te - sta vi-va - ce, mi pia - ce scherzar, mi
Vni
Vle
Vc.
Cb.

Fl.
Ob.
Cl. Sib
Fg.
Mib
Cor.
Sib
a 2
Trb. Sib
a 2
Trbn.
Tp.
Nor.
pia_ce scherzar, mi pia_ce scherzar, ah! mi pia - ce, mi pia_ce
Vni
Vle
Vc.
Cb.

Fl.
a 2
Ob.
Cl.
Si♭
Fg.
a 2
Mi♭
Cor.
Si♭
Trb.
Si♭
a 2
Trbn.
Tp.
Nor.
scher - zar.
Vni
Vle
Vc.
Cb.

N.º 4. RECITATIVO E DUETTO-FINALE I.

«NORINA-DOTTORE»

(con vivacità)
(porgendogli la lettera)
Nor.
Me ne la_vo le mani.
Legge_te.
Dott.
il nostro strata_gemma...
Come? che fu?
Vni
Vle
Ve.
Cb
f
Nor.
Ma s'egli par_te!
(Legge.)
Dott.
"Mia Norina, vi scrivo colla morte nel cuore. Lo farem vi_vo.
Don Pasquale, aggirato da quel furfante (Grazie), da quella faccia doppia del Dottore, sposa una sua sorella, mi scaccia di sua casa, mi disereda infine. Amor m'impone di rinunziare a voi; lascio Roma oggi stesso, e quanto prima l'Europa. Addio: siate felice; questo è l'ardente mio voto.
Il vostro Ernesto.,,
Le solite pazzie!
Non partirà, v'ac_
Vni
Vle
Vc.
Cb.
f
Dott.
_cer_to. In quattro sal_ti son da lu_i, della nostra trama lo metto a parte, ed ei rimane, e contanto di
Vc.
Cb.

NORINA
Ma que_sta trama si può saper qual si_a?
Dott.
cor.
A pu_ni_re il ni_
Vni
Vle
Vc.
Cb.
Nor.
Già mel di_
-po_te, che opponsi al_le sue voglie, Don Pasquale ha deci_so prender moglie.
_ce_ste.
(presto)
Orben, io suo dot_to_re, vi_sto_lo co_sì fer_mo nel pro_po_sto, cambio
tat_ti_ca, e to_sto nel_l'in_te_res_se vostro e in quel d'Er_ne_sto, mi pongo a se_con_

Dott.
-dar-lo. Don Pasquale sa ch'io tengo al convento una sorella, vi fo passar per quella, e-gli non vi co-
Vni
Vle
Vc. Cb.
-no-sce, e vi pre - sen-to pria ch'al-tri mi pre - ven-ga; vi ve-de, resta
NORINA
Va benis-simo.
cot-to. Cal-do cal-do vi - spo-sa. Car-lot-to mio cu - gi-no ci fa-rà da no -
-ta-ro... al resto po-i toc-ca a pensa-re a vo - i. Lo fa-te disperar... il vecchio im-

NORINA

Ba - sta: ho capi-to.

Dott.

-pazza, lo abbiamo a discre-zione... allor... Va beno - ne.

Vni

Vle

Vc. Cb.

33 Maestoso

Ott.

Fl.

Ob.

Cl. Do

Fg.

Fa Cor. Si♭

Trb. Do

Trbn.

FA - DO

Tp.

Dott.

Pron - ta io son, purch'io non manchi al-l'a-mor, al - l'a-mo - re del ca-ro

33 Maestoso

Vni

Vle

Vc.

Cb.

Ob.
Cl. Do
Fg.
Cor. Fa
Nor.
be - ne.
Farò imbrogli, fa-rò sce-ne, fa-rò imbrogli, fa-rò
Vni
Vle
Vc.
Cb.
col canto
Fl.
Cl. Do
Fg.
Fa Cor. Sib
Trb. Do
Trbn.
rall.
Nor.
sce - ne,
so ben io quel ch'ho da far, so ben io quel ch'ho da
col canto
Vni
Vle
Vc.
Cb.

a tempo rall.

Fg.

Fa Cor. Sib

Nor.

far, fa-rò imbrogli, fa-rò sce-ne, so ben io quel ch'ho da far, sì, so ben io quel ch'ho da

a tempo rall.

Vni

Vle

Vc.

Cb.

a tempo

Ob.

Cl. Do

Fg.

Fa Cor. Sib

Nor.

far, fa-rò imbrogli, fa-rò scene, so ben io quel ch'ho da far, so ben io, so ben io, so ben io quel ch'ho da

a tempo leggeriss.

Vni

Vle

Vc. PIZZ.

Cb. PIZZ.

Ott.
Fl.
Ob.
Cl. Do
Fg.
Fa Cor. Sib
Trb. Do
Trbn.
Tp.
Nor.
Vni
Vle
Vc.
Cb.
leggeriss.
I.
a 2
pp
f stacc.
ARCO
far, so ben io, — so ben io, — so ben io quel ch'ho da far, so ben io quel ch'ho da

Ott.
Fl.
Ob.
Cl.
Do
Fg.
Fa
Cor.
Sib
Trb.
Do
Trbn.
Tp.
Nor.
far, so ben i - o quel ch'ho da far, ah, so ben io quel ch'ho da
Vni
Vle
Vc.
Cb.

34 a tempo
Nor.
far.
DOTTORE
Voi sape_te se d'Er_ne_sto so_no a_mi_co, e ben_gli
34 a tempo
Vni
Vle
UNITI
Vc. Cb.
Ott.
Fl.
Ob.
Cl. Do
Fg.
Fa Cor. Sib
Trb. Do
Trbn.
Tp.
Dott.
voglio; voi sa_pe - - te sebengli vo - - glio;
12
Vni
Vle
Vc. Cb.

a tempo
Fl.
Ob.
Cl. Do
Fg.
Dott.
so - lo tende il nostro imbroglio don Pasquale a corbel-
a tempo
Vni
Vle
Vc. Cb.
Fl.
Ob.
Cl. Do
Fg.
Fa Cor. Sib
Dott.
-lar,
so - lo tende il nostro imbroglio don Pasquale a corbel-
Vni
Vle
Vc.
Cb.

rall.
Fl.
Fg.
Fa
Cor.
Sib
III.
Dott.
-lar; voi sa-pe-te se d'Erne-sto sono ami-co e ben gli vo - glio, lo - sa-pe - te, lo - sa -
rall.
Vni
Vle
Vc.
Cb.
a tempo
Ob.
Cl.
Do
-pete; so lo tende il nostro imbroglio don Pasquale a corbellar, don Pasquale, don Pasquale, don Pasquale a corbel-
a tempo
PIZZ.
PIZZ.

Ott.
Fl.
Ob.
I.
Cl.
Do
Fg.
Fa
Cor.
Si♭
a 2
Trb.
Do
Trbn.
Tp.
Dott.
-lar, so-lo ten-de, so-lo tende don Pasquale a cor bel-lar, don Pasquale a cor - bel-
Vni
Vle
ARCO
Vc.
ARCO
Cb.

35
Ott.
Fl.
Ob.
Cl.
Do
Fg.
Fa
Cor.
Sib
a2
Trb.
Do
Trbn.
Tp.
NORINA
Siamo in-
Dott.
-lar,so - lo — ten-de, solo ten-de don Pasquale, so-lo tende a corbel-lar.
35
Vni
Vle
Vc.
Cb.

Ott.
Fl.
Ob.
Cl.
Do
Fg.
Fa
Cor.
Sib
a 2
a 2
Trb.
Do
Trbn.
Tp.
f
Nor.
-te - si; prendo im-pegno.
Dott.
Io la par-te o-ravin-se - - gno.
Vni
Vle
Vc.
Cb.

Ob.
Cl. Do
Fg.
Cor. Fa
Nor.
Mi vo_le_te fie - ra?
Vni
Vle
UNITI
Vc. Cb.
Fl.
Ob.
Cl. Do
Fg.
Fa Cor. Sib
Nor.
Mi vo_le_te me - sta? me - sta?
DOTTORE
No. No, no, la par_te non è
Vni
Vle
Vc. Cb.

Fl.
Ob.
I.
Cl.
Do
I.
Fg.
I.
Fa
Cor.
Sib
Nor.
Ho da pian - ge-re? o gri -
Dott.
que - sta.
No, no, no, no.
Vni
Vle
Vc.
Cb.

Fl.
Ob.
Cl. Do
Fg.
Fa Cor. Sib
III.
Nor.
-da - re? me - sta? fie - ra? Nè pian - ger, nè gri-
Dott.
No, la parte non è questa, non è questa, non è questa, non è questa; state un poco, state un poco ad ascol-
Vni
Vle
Vc.
Cb.

Ott.
Fl.
Ob.
Cl. Do
Fg.
Fa Cor. Sib
Trb. Do
Trbn.
Tp.
Nor.
Dott.
Vni
Vle
Vc.
Cb.
p stacc.
a piacere
_dar? La sempli_cetta? la semplicetta?
tar. Convien far la semplicetta. Or la parte ecco v'in

Fl.
Ob.
Cl. Do
Fg.
Fa
Cor.
Si b
Nor.
Posso in que_sto dar lezione.
Or proviam quest'altra azione.
Dott.
-segno.
Collotorto, bocca stret_ta;
Or proviam quest'altra a_
Vni
Vle
Vc.
Cb.

Ott.
Fl.
Ob.
Cl. Do
Fg.
Fa Cor. Sib
(contraffacendosi)
Nor.
Mi ver - go - gno...
Dott.
-zio-ne.
Bra - va! bra-va!
Vni
Vle
Vc.
PIZZ.
Cb.

Ott.
Fl.
Ob.
Cl. Do
Fg.
I.
Fa
Cor.
Sib
Nor.
Son zi - tel - la...
Dott.
bra-va!
Bra-va, brava bricconcel - la! va be-nis-si-mo co -
Vni
Vle
Vc.
Cb.

Ott.
Fl.
Ob.
a 2
Cl.
Do
Fg.
Fa
Cor.
Sib
Nor.
grazie... ser_va... ser_va, signor si, ser_va, gra_zie, gra_zie, ser_va, si_gnor
Dott.
sì, bra_va, brava, bra_va, co_sì, co_sì, ma brava, ma bra_va, ma va benis_simo co_
Vni
Vle
ARCO
Vc.
Cb.

accel:............e cresc. a poco a poco...
Ott.
Fl.
Ob.
Cl. Do
I.
Fg.
Fa
Cor.
Si b
Trb. Do
p
Trbn.
p
Tp.
Nor.
si, ser_va, grazie, grazie, serva, grazie, grazie, son zi_tel_la, grazie, ser_va, ser_va,
Dott.
_si, be_ne, bra_va, brava, ah bricconcel_la, bricconcel_la, va be_nis_si_mo co_
accel:............e cresc. a poco a poco...
Vni
Vle
Vc.
Cb.

rall.
Ott.
Fl.
Ob.
Cl. Do
Fg.
Fa
Cor.
Si♭
Trb. Do
Trbn.
Tp.
Nor.
gra_zie.
Co_sì...
Cosi...
a piacere
Dott.
-sì.
Collotorto, tor_to.
Bra_va.
Bocca stretta, stretta.
Ma
rall.
Vni
Vle
Vc.
Cb.

36
Allegro
Cl. Do
a2
Fg.
a2
Fa
Cor.
Sib
Trb. Do
Trbn.
Tp.
Nor.
Va - do,
cor - ro, — sì, va-do, cor - ro
al granci-
Dott.
bra - - va.
Sì, cor - ria - mo
al granci-
36
Allegro
Vni
Vle
PIZZ.
Vc.
PIZZ.
Cb.

Ott.
Fl.
Ob.
Do
Cl.
Do
a 2
Fg.
Fa
Cor.
Sib
Trb.
Do
Trbn.
Tp.
G.C.
Nor.
-men-to, pie-no hoil co-re, sì, pienohoil co-re d'ar-di-men-to.
Dott.
-men-to, Ah, si,co
Vni
DIV. ARCO
UNITE
Vle
ARCO
Vc.
Cb.

Dott.
-ria-mo, sì, corriam al gran ci-men-to, pie-no ho il co-re, pie-no il co-re d'ar-di-
Vni
p
Vle
Vc.
-men-to; la sa-et-ta-fra-non-mol-to-sen-ti-re-mo a di-scop-
Cb.
Fg.
pp stacc.
Cor. Fa
I. II.
pp
NORINA
A quel vecchio, affè, la te-sta que-sta vol-ta ha da gi-rar, que-sta vol-ta, que-sta
-piar.
A quel vec-chio, affè la
pp leggeriss.
UNITI
PIZZ.
Vc. Cb.

Fl.
Ob.
Cl. Do
Fg.
Cor. Fa
Nor.
vol_ta, que_sta vol_ta ha da gi_rar, a quel vecchio, affè, la te_sta que_sta vol_ta ha da gi
Dott.
te_sta que_sta vol_ta ha da gi_rar, a quel vecchio, affè, la te_sta que_sta vol_ta ha da gi
Vni
Vle
Vc. Cb.
_rar, a quel vecchio, af_fè, la te_sta que_sta vol_ta ha da gi_rar.
_rar, a quel vecchio, af_fè, la te_sta que_sta vol_ta ha da gi_rar.

Ott.
Fl.
Ob.
Cl. Do
Fg.
Fa Cor. Si♭
Trb. Do
Trbn.
Tp.
Nor.
Dott.
Vni
Vle
Vc.
Cb.
a 2
I.
ARCO
M'in - co-min - cio a ven - di car, m'in-co -
La sa-et-ta sen-tire-mo a di-scop-piar, la sa-et - ta sen-ti -

accel. un poco
Ott.
Fl.
Ob.
Cl. Do
Fag.
Fa
Cor.
Si♭
Trb. Do
Trbn.
Tp.
G.C.
Nor.
-min - cio a ven-di-car, a ven-di-car, m'in-co-
Dott.
-remo ad i-scoppiar, ad i-scoppiar, la saet-ta senti-rem
accel. un poco
Vni
Vle
Vc.
Cb.

37
Poco più
Ott.
Fl.
Ob.
Cl. Do
Fg.
a 2
Fa Cor. Si♭
Trb. Do
Trbn.
Tp.
G.C.
Nor.
_min_cio a ven _ di _ car.
Quel vecchio_ne rim_bam_bi _ to
Dott.
ad_ i _ scop_piar.
Ur_la e fi_schia la bu_fe _ ra,
37
Poco più
Vni
Vle
Vc.
Cb.

Ott.
Fl.
Ob.
Cl.
Do
Fg.
Fa
Cor.
Si♭
Trb.
Do
Trbn.
Tp.
G.C.
Nor.
a' miei vo_ti invan con_tra_sta; io l'ho detto e tan_to ba_sta, la s
Dott.
veggo il lampo, il tuono a_scolto, la sa_et_ta fra non mol_to sen_t
Vni
Vle
Vc.
Cb.
fp
P.R.36

rall:
Ott.
Fl.
Ob.
Cl. Do
Fg.
a 2
Fa Cor. Si♭
Trb. Do
Trbn.
I.
Tp.
G.C.
Nor.
-prò, la vo' spun-tar, sì, la sa-prò, la vo' spun-tar.
Dott.
-re-mo adi-scop-piar, sì, sen-ti-rem ad i-scop-piar.
rall:
Vni
Vle
Vc.
Cb.

I. Tempo
Ott.
Fl.
Ob.
Cl. Do
a 2
Fg.
Fa Cor. Si♭
Trb. Do
Trbn.
Tp.
G.C.
Nor.
Va - do, cor - ro, sì, sì, cor - ria - mo al granci - men - to;
Dott.
Van - ne, cor - ri, sì, sì, cor - ria - mo al granci - men - to
I. Tempo
Vni
Vle
PIZZ.
Vc.
Cb.

Ott.
Fl.
Ob.
Cl. Do
Fg.
Fa Cor. Si♭
Trb. Do
Trbn.
Tp.
G.C.
Nor.
pie - no ho il co - re, sì, pieno ho il co - re d'ar - di-men-to.
Dott.
Ah, sì, cor-
Vni
Vle
DIV.
UNITE
ARCO
Vc.
Cb.
a 2

Dott.
-ria-mo, sì, corriamo al gran ci-men - to; pieno ho il co - re, pie-no ho il co - re d'ar-di
Vni
p
p
Vle
p
Vc.
p
Dott.
-men - to. La sa-et - ta fra non mol - to sen-ti - re - mo ad i - scop -
Vni
Vle
Vc.
Cb.
p
Fg.
pp stacc.
I.II.
Cor. Fa
pp
NORINA
pp
A quel vecchio, affè, la te-sta que-sta vol-ta ha da gi-rar, que-sta vol - ta, que-sta
Dott.
-piar. A quel vecchio, affè, la
Vni
pp leggeriss.
pp leggeriss.
Vle
UNITI pp
PIZZ.
Vc. Cb.
pp

Fl.
Ob.
Cl. Do
Fg.
Cor. Fa
Nor.
Dott.
Vni
Vle
Vc. Cb.
pp
I.II.
ARCO
I.
vol_ta, que_sta vol_ta ha da gi_rar, a quel vecchio, affè, la te_sta que_sta vol_ta ha da gi_
te_sta que_sta vol_ta ha da gi_rar, a quel vecchio, affè, la te_sta que_sta vol_ta ha da gi_
_rar, a quel vecchio, affè, la te_sta que_sta vol_ta ha da gi_rar
_rar, a quel vecchio, affè, la te_sta que_sta vol_ta ha da gi_rar.

Ott.
Fl.
Ob.
I.
Cl. Do
Fg.
a 2
Fa Cor. Sib
Trb. Do
Trbn.
Tp.
Nor.
M'in - co_min - cio a ven - di - car, m'in_co -
Dott.
La sa_et_ta sen_ti_re_mo a di_scop_piar, la sa_et - ta sen_ti -
Vni
Vle
ARCO
Vc.
ARCO
Cb.

accel. un poco
Ott.
Fl.
Ob.
Cl. Do
Fg.
Fa Cor. Sib
Trb. Do
Trbn.
Tp.
G. C.
Nor.
-min - cio a ven-di-car, a ven-di-car m'in-co-
Dott.
-remad i-scoppiar, ad i-scoppiar, la saet-tasenti-rem
accel. un poco
Vni
Vle
Vc.
Cb.

38
Poco più
Ott.
Fl.
Ob.
Cl.
Do
a 2
Fg.
Fa
Cor.
Si ♭
Trb.
Do
Trbn.
Tp.
G.C.
Nor.
-min-cio a ven-di-car. Io l'ho det-to, tan-to ba-sta, la sa-
Dott.
ad i-scop-piar. Po-co pen-sa don Pa-squale che boccon di tem-po-ra-le si pre-pa-ra in que-sto
38
Poco più
Vni
Vle
Vc.
Cb.

Ott.
Fl.
Ob.
Cl. Do
Fg.
Fa Cor. Sib
I.II.
III.IV.
Trb. Do
Trbn.
Tp.
G.C.
Nor.
Dott.
Vni
Vle
Vc.
Cb.
a 2
ff
f
-prò — la vo' spun-tar, — la vo', la
punto sul suo capo a ro-ve-sciar, che boccon di tempo-ra-le si prepara in questo pun-to sul suo

Pochissimo ritenuto
Ott.
Fl.
Ob.
Cl. Do
Fg.
Fa Cor. Si♭
Trb. Do
Trbn.
Tp.
G.C.
(facendo inchini)
Nor.
vo' spun - tar. Ser_va... grazie, gra_zie, ser_va, si_gnor sì, ser_va,
Dott.
ca - po a ro - ve_sciar. Brava, va be_nis_si_mo co_sì, be_ne, bra_va,
Pochissimo ritenuto
Vni
Vle
Vc.
Cb.

string.
Ott.
Fl.
Ob.
Cl. Do
Fg.
Fa Cor. Si♭
Trb. Do
Trbn.
Nor.
Dott.
cresc.
p
I.
p cresc.
gra_zie, ser_va, gra_zie, si_gnor sì, gra_zie, ser_va, si_gnor sì, gra_zie, ser_va, si_gnor
bra_va, bra_va, si_gnor sì, va be_nis_si_mo co_sì, va be_nis_si_mo co_
string.
Vni
Vle
Vc.
Cb.

Ott.
Fl.
Ob.
Cl. Do
a 2
Fg.
Fa Cor. Si♭
Trb. Do
Trbn.
Tp.
G.C.
f cresc.
mf cresc.
ff
Nor.
sì, sì, la sa - prò, la vo' spun - tar, la — vo' — la — vo'
Dott.
- sì, ah, la sa - et - ta sen - ti - rem, sen - - ti -
Vni
Vle
Vc.
Cb.

Ott.
Fl.
Ob.
Cl.
Do
a 2
Fg.
a 2
Fa
Cor.
Si ♭
Trb.
Do
Trbn.
Tp.
G.C.
Nor.
spun_ - _tar.
Dott.
_rem ad i _ scop_piar.
Vni
Vle
Vc.
Cb.

Fine dell'Atto I

ATTO SECONDO

N.º 5. PRELUDIO ED ARIA

«ERNESTO»

SCENA I. - Sala in casa di Don Pasquale.

I.II.
Cor.
Mib
I.
Trb.
Sib
3
I.
p
Vni
ARCO
p
DIV.
ARCO
Vle
p
UNITI
ARCO
Vc.
Cb.
p
I.
Fg.
p
I.II.
Cor.
Mib
I.
Trb.
Sib
3
II.
Vni
Vle
Vc.
Cb.
I.
Fg.
p
I.II.
Cor.
Mib
p
I.
Trb.
Sib
3
II.
Vni
UNITE
Vle
Vc.
Cb.
p

I.
Fg.
I.II.
Cor.
Mi♭
Trb.
Si♭
II.
Vni
Vle
DIV.
Vc.
Cb.
UNITE
1
lento
a piacere
ARCO
p

Recitativo

Ott.
Fl.
Ob.
Cl. Si♭
Fg.
Mi♭ Cor. Fa
Trb. Si♭ I. a 2
Trbn.
Tp.

ERNESTO

Po - vero Ernesto! dallo zio caccia - to, da tutti abbandonato, mi restava un a

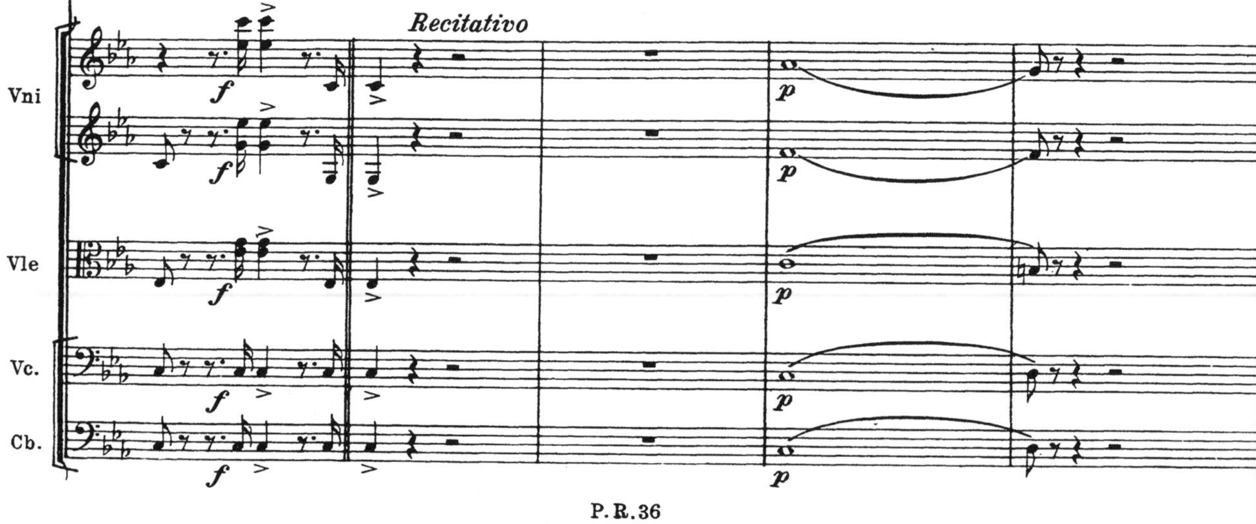

col canto
Ott.
Fl.
Ob.
Cl. Si♭
Fg.
Mi♭
Cor.
Fa
in Re♭
Trb. Si♭
Trbn.
lento
Ern.
-mico, e un coperto ne-mico discopro in lu-i, che a'danni miei congiura. Per - der No-
col canto
Vni
Vle
Vc.
Cb.

Fg.
Cor. Mi♭
Trb. Si♭
Ern.
Cb.
-ri-na, oh Di - o! Ben feci a le-i d'e-sprimere in un foglio i sensi
Vni
Vle
Vc.
miei. Ora in altra con-trada i giorni grami a trasci-nar si va-da.

2
Larghetto
Fl.
Ob.
I.
Trb. Si♭
I.
Ern.
Cerche_
Vni
Vle
PIZZ.
Vc.
PIZZ.
Cb.
Cl. Si♭
Cor. Mi♭
I.
_rò lon_ta_na ter_ra do _ ve ge_mer sco_no_sciu_to; là vi_
II.

Fg.
Cor. Mi♭
I. II.
Ern.
f
calando
p
-vrò col cuo - re in guer - ra de - plo - rando il ben perdu - to, de - plo -
Vni
Vle
ARCO
Vc.
Cb.
I.
Trb. Si♭
- rando il ben perdu - to;
ma — nè —
PIZZ.

Fl.
Ob.
Cl. Si♭
Fg.
Cor. Mi♭
Ern.
sor - te a me ne - mi - ca, nè frap - po - sti mon - ti e mar, ti po-
Vni
Vle
Vc.
Cb.
cresc. e accel.
rall.
Trb. Si♭
- tran - no, dol - ce a - mi - ca, dal mio co - re can - cel - lar, non ti po-
cresc e accel.
ARCO

prende il Fl.
Ott.
Fl.
I.
Ob.
Cl.
Si♭
I.
Fg.
Cor.
Mi♭
I.II.
Trb.
Si♭
Trbn.
LA ♭-RE♭
Tp.
Ern.
-tranno dal mio co-re cancellar, non ti potranno, dolce amica, dal mio co-re cancel-lar.
pp
Vni
Vle
Vc.
Cb.

3
Moderato
Fl.
Ob.
Cl. Sib
Fg.
Cor. Reb
III. IV.
Vni
Vle
Vc.
Cb.
PIZZ.
a tempo
ERNESTO
E se fia che ad altro og_get_to tu ri_vol_ga un giorno il co_re, se mai

Fl.
Ob.
Cl. Si♭
Cor. Re♭
III. IV.
I.
Ern.
fia che un nuovo af - fet - to spenga in te l'antico ardo - re, non te - mer che un in - fe -
Vni
Vle
Vc.
Cb.
Fg.
Mi♭ Cor. Re♭
accel.
- li - ce te sper - giura accu - si al ciel; se tu sei, ben mio, fe - li - ce, sa - rà
ARCO

Fl.
Ob.
Cl. Si♭
Fg.
Mi♭ Cor. Re♭
a 2
Trb. Si♭
Ern.
pago il tuo fe - del, sa - rà pa - go il tuo fe - del, sa - rà pa - go il tu - o fe
Vni
Vle
Vc.
Cb.

4
a tempo
Fl.
Ob.
I.
Cl. Sib
Fg.
Mib
Cor.
Reb
Trb. Sib
a 2
Trbn.
Tp.
Ern.
-del.
Cer - che - rò lonta - na
Vni
DIVISE
Vle
Vc.
Cb.
cresc:
p

Fl.
Ob.
a 2
Cl. Si♭
Fg.
Mi♭
Cor.
Re♭
Trb. Si♭
Trbn.
Tp.
Ern.
ter_ra do _ ve ge _ mer sco_no _ sciu_to, sì!
Vni
UNITE
Vle
Vc.
Cb.

a tempo
Fl.
Cl. Si♭
Cor. Re♭
III. IV.
Ern.
Ah! e se fia chead al_tro og_get_to tu ri_volgaun giorno il co_re, se mai
a tempo
Vni
Vle
PIZZ.
Vc.
PIZZ.
Cb.
PIZZ.
Fl.
Ob.
I.
Cl. Si♭
Cor. Re♭
III. IV.
Ern.
fia cheun al_tro af_fet_to spen_ga in te l'antico ardo_re, non te_mer cheun in_fe_
Vni
Vle
Vc.
Cb.

accel.
Fl.
Cl. Sib
Fg.
Mib Cor. Reb
Ern.
-li-ce te sper-giura accu-sì al ciel; se tu sei, ben mio, fe-li-ce, sa-rà
Vni
Vle
Vc. Cb.
UNITI
ARCO
Ob.
Trb. Sib
a 2
pago il tuo fe-del, sa-rà pa-go il tuo fe-del, sa-rà pa-go il tuo fe-

5
Poco meno
I.
accel.
Fg.
Mi♭
Cor.
Re♭
Ern.
-del; se tu sei, ben mio fe - li - ce sa - rà pa - go il tuo fe - del, sì, sa - rà pa - go, sa - rà
5
Poco meno
accel.
Vni
Vle
Vc.
Cb.
Fl.
Ob.
Cl.
Si♭
Fg.
Mi♭
Cor.
Re♭
Trb.
Si♭
Trbn.
Tp.
Ern.
pa - go il tuo fe - del, il tuo fe - del, il tuo fe -
Vni
Vle
Vc.
Cb.

Ott.
Fl.
Ob.
a 2
Cl. Si♭
Fg.
Mi♭ Cor. Re♭
Trb. Si♭
Trbn.
Tp.
(Parte.)
Ern.
-del, - il - tuo fe - del.
Vni
Vle
Vc.
Cb.

Ott.
Fl.
Ob.
a 2
Cl.
Si ♭
in LA
Fg.
Mi ♭
in MI
Cor.
Re ♭
in LA
a 2
Trb.
Si ♭
in LA
Trbn.
Tp.
Vni
Vle
Vc.
Cb.

Nº 6. SCENA E TERZETTO

(Il servo parte.)
D.Pas.
-date. Per un uom sui settanta, (zitto... che non mi senta la sposina) convien dir che son lesto e ben por
Vni
Vle
Vc.
Cb.
-tante. Con questo boccon po-i di toilette...
(Si pavoneggia.)
Allegretto
Alcun viene...
Ec-coli. A te mi raccomando, I-me-ne.

7
Larghetto
Fl.
a 2
f
Ob.
Cl. La
Fg.
p
Mi
Cor.
La
Trb. La
Trbn.
Tp.
SCENA III.
NORINA
Reggo appe_na...
DOTTORE
(conducendo per mano Norina)
Via, da brava.
Vni
Vle
Vc.
Cb.
pp
DIVISE

Cl. La
Fg.
Nor.
Dott.
Vni
Vle
Vc.
Cb.
a 2
tre_mo tutta...
Ah! fratel, non mi la_sciate.
(Nell'atto che il Dottore fa inoltrare Norina, accenna a Don Pasquale di met
V'inol_tra_te.
UNITE
DIVISE
accel.
a 2
(s'avanza lentamente
Per pie_tà! per pietà! per pie_tà!
tersi in disparte. Don Pasquale si rincantuccia.)
(Corre a Don Pasquale.)
Non teme_te. Via, coraggio, v'inoltrate.
accel.
PIZZ.
PIZZ. cresc.
UNITE
PIZZ. cresc.
cresc.
PIZZ.
cresc.
PIZZ.
cresc.

Cor.
Mi
I. II.
(di soppiatto a Don Pasquale)
Dott.
Frescauscita di convento, natu_rale è il turba_mento; per na_tura un po' selvatica, mansuefarla a voi si
Cb.
8
Cl.
La
Fg.
Mi
Cor.
La
III.
NORINA
(Sta a ve_de_re, sì, sta a vede_re, o vecchio mat_to, ch'or ti
Dott.
sta. Mos_se, vo_ _ce, mosse, voce, portamento,
DON PASQUALE
Mosse, vo_ce, mos_se, vo_ce, por_ta_mento, tut_to, tut_to
8
ARCO
Vni
PIZZ.
DIV. ARCO
Vle
PIZZ.
Vc.
PIZZ.
Cb.

Ob.
Cl.
La
Fg.
Mi
Cor.
La
III.
Tp.
Nor.
ser - vo, sì, sì, ti ser - vo — co - me — va, sta a ve -
Dott.
tut - to è in le - - i, tutto è in lei sempli - ci - tà,
D. Pas.
tut - to è in lei sem - pli - ci - tà; la dichiaro un gran po
Vni
Vle
Vc.
Cb.

Fl.
Ob.
Cl.
La
Fg.
Cor.
Mi
Tp.
Nor.
Dott.
D.Pas.
Vni
Vle
Vc.
Cb.
I.
I. II.
fp
p
UNITE
PIZZ.
-de - re, vec - chio matto,sta a vede-re,vecchio mat-to,sta a vede-re,vecchio
mosse,vo-ce,portamen-to, mos-se,vo ce, porta-
-ten-to se ri-sponde la bel - tà, la dichiaro un gran por-

Fl.
Ob.
Cl.
La
Fg.
Mi
Cor.
La
Nor.
matto, ch'or ti servo come va, ch'or ti ser_vo come va, sì, __ sta a ve - dere, sì, sta a ve -
Dott.
_mento, tutto è in le_i semplici _ tà, mos _ se, voce, por _ ta_
D.Pas.
_tento se risponde la bel_tà, la dichiaro un gran por_
Vni
ARCO
ARCO
Vle
Vc.
Cb.

Fl.
Ob.
Cl. La
Fg.
Mi Cor. La
a 2
Nor.
-de-re ch'io - ti servo, sì, - co - me - va, - sì, - sì, - ti - ser - - -
Dott.
-mento, tut-to è in le-i sempli - ci - tà,
D. Pas.
-tento se risponde la bel-tà,
Vni
Vle
Vc.
Cb.

Fl.
Ob.
Cl. La
Fg.
Mi Cor. La
Trb. La
Trbn.
Tp.
G.C.
Nor.
-vo co - me va.) Ah fra - tel-lo! A star sola mi fa
Dott.
tut - to è in lei sempli-ci - tà. Non temete, non te - me-te.
D.Pas.
se ri-spon-de la bel-tà.
Vni
Vle
ARCO
Vc.
ARCO
Cb.

I.
Fl.
Fg.
Nor.
ma_le.
Dott.
Ca_ra mi_a, sola non sie_te;
Vni
Vle
Vc.
Cb.
I.
Più allegro
Fl.
Fg.
(con terrore)
Nor.
Co_me? un uom? Oh me me_
Dott.
ci son i_o, c'è Don Pa_squale.
Più allegro
Vni
Vle
Vc.
Cb.

Fl.
Ob.
Cl. La
Fg.
Mi
Cor.
La
a 2
Trb. La
Trbn.
Tp.
cresc.
(agitatissima)
Nor.
-schina! presto andiamo, fuggiam di qua: un uomo! un uomo! fuggia-
Dott.
Coraggio, non temete.
DON PASQUALE
(vedendo che Norina vuol partire)
Dottore, dottore!..
Vni
Vle
Vc.
Cb.

9
I. Tempo
Cl. La
Fg.
Cor. Mi
I. II.
Nor.
-mo. (Sta a ve - de - re, sì, sta a ve-de - re, o vecchio
Dott.
(Co - m'è scal - - -
D. Pas.
Com'è ca-ra, com'è ca-ra!
com'è ca-ra, ca-ra, ca-ra, ca-ra, ca-ra, mode-
9
I. Tempo
Vni
PIZZ.
DIV.
Vle
UNITI
PIZZ.
Vc. Cb.
Cl. La
Fg.
Mi Cor. La
III.
Nor.
mat - to, ch'or ti ser - vo, sì, sì, ti ser - vo co - me
Dott.
-tra, com'è scaltra, malandri - na! im - pazzi - re lo fa -
D. Pas.
-sti-na! com'è cara e mode - sti-na nel-la sua semplici-tà, sem-pli - ci -
Vni
Vle
Vc. Cb.

Fl.
I.
fp
Ob.
fp
fp
Cl.
La
Fg.
Cor.
Mi
I. II.
Tp.
p
Nor.
va.) Oh! fra - tel - lo, tre - mo
Dott.
-rà, impazzi-re lo farà; co-m'è scaltra, malandrina!)
D. Pas.
-tà, com'è ca-ra e mo-de-stina! nel-la sua sempli-ci-
Vni
fp
fp
Vle
fp
fp
Vc.
Cb.

Fl.
Ob.
Cl. La
Fg.
Cor. Mi
I. II.
Nor.
tutta! (Sta a vede_re, vecchio matto, sta a vede_re, vec_chio matto, ch'or ti ser_vo co_me va, ch'or ti ser_vo come
Dott.
Mosse, voce, por_ta_mento, tutto è in le_i sempli_ci_
D. Pas.
_tà, ah! Dot_to_re! co_m'è ca_ra nel_la su_a sempli_ci_
Vni
UNITE PIZZ.
Vle
Vc.
Cb.

Fl.
Ob.
Cl. La
Fg.
Mi Cor. La
Nor.
va, sì, sta a ve - dere, sì, sta a ve - dere ch'or ti servo, sì, co - me
Dott.
-tà, mos-se, voce, por-tamento, tut-to è in le-i sempli-ci-
D.Pas.
-tà, ah! Dottore, co-m'è cara nel-la sua sempli-ci-
Vni
ARCO
Vle
ARCO
Vc.
Cb.

Fl.
Ob.
Cl. La
Fg.
Mi
Cor.
La
Nor.
va, or ti servo, or ti ser - vo co - me
Dott.
-tà! tutto è in le-i, tut - - to sem - pli - ci -
D. Pas.
-tà! quant'è ca-ra nel-la sua, nel - la sua sem - pli - ci -
Vni
Vle
ARCO
Vc.
ARCO
Cb.

Fl.
I.
Ob.
Cl. La
Fg.
Cor. Mi
I. II.
Nor.
va, co_me va,
or ti servo co_me
Dott.
_tà,
mosse, vo_ce.
(Impaz_zi_re lo fa_rà,
D.Pas.
_tà,
quant'è ca_ra nel_la
sua
sempli
_
ci_tà,
Vni
Vle
Vc.
Cb.

Fg.
Mi
Cor.
La
III.
rbn.
Tp.
a piacere
Nor.
va, ti ser - vo co_me va.)
Dott.
lo fa - rà.)
D.Pas.
sempli_ci - tà.
Vni
Vle
Vc.
Cb.

N.º 7. RECITATIVO E QUARTETTO-FINALE II.

10
Moderato
Fg.
Nor.
Dott.
D.Pas.
(Oh che bag-giano!)
(È già cotto a quest'ora)
Che ne di-te?
(Don Pasquale dispone tre sedie; siedono, il Dottore sta nel mezzo.)
ma-no!)
È un in-
Moderato
10
Recit.
Vni
Vle
Vc.
Cb.
p
Non o-se-ria, son cer-to, a sem-bian-te scoper-to par-lare a un
-can-to; ma, quel ve-lo...
uom. Pri-ma l'inter-ro-ga-te, ve-dete se nei gusti v'incon-trate, po-scia ve-drem.
(Capi-sco: andiam, co-

D.Pas.
(a Norina)
(s'imbroglia)
-raggio.)
Posto che ho l'avvantaggio... anzi il signor fratello... il dottor Mala-
Recit.
Vni
Vle
Vc.
Cb.
NORINA
(avanzandosi e facendo la riverenza)
Son serva, mille grazie.
DOTTORE
(a Norina)
(Perde la testa.) Rispondete.
-testa... cioè... voleva dir...
Nor.
(S'alza e corrisponde, poi si siede di nuovo.)
Volea dir che alla sera la signora amerà la compagnia.
Nien-t'affatto: al convento si stava sempre
UNITI

Nor.
so_le.
Non so che co_sa si_a, nè saper bramo.
D.Pas.
Qualche volta al te_a_tro?
Sen_timen_ti ch'io
Vni
Vle
Vc.
Cb.
Cu_ci_re, ri_camar, far la cal_
lo_do, ma il tem_po uopo è passarlo in qualche mo_do.
_zet_ta, ba_da_re al_la cu_ci_na: il tem_po passa presto.
DOTTORE
(Ah! malan_dri_na!)
(agitandosi sulla sedia)
(Fa proprio al caso

Nor.
Dott.
D.Pas.
Vni
Vle
Vc.
Cb.
(vergognandosi)
Non o_so in faccia au
(a Norina)
Ca - ra So_fronia, rimove_te quel ve_lo.
(al Dottore)
mi_o!) Quel vel per ca_ri - tà!
11
Allegro
Ott.
Fl.
Ob.
Cl.
La
Fg.
Mi
Cor.
La
Trb.
La
Trbn.
In DO
In DO
(Si toglie il velo)
uom.
Ob_bedi_sco, fra_tel.
Ve lo co_mando.
(dopo averla guardata, levandosi a un tratto e dando indietro come spaventato)
Che fu? di_te...
Mi_seri_cordia!
U_na
11
Allegro
Vc.
Cb.

Fg.
Mi
Cor.
La
In SOL
I.
Trbn.
(con ansia)
D.Pas.
bom_ba in mezzo al co_re. Per ca_ri_tà, dot_to_re, di_te_le, di_te_le se mi
Vni
Vle
Vc.
Cb.
Fg.
I.
Cor.
Mi
In DO
D.Pas.
vuole. Mi mancan le pa_ro_le, sudo... ag_ghiaccio... son
Vni
Vle
Vc.
Cb.

DOTTORE
Andante
Via, co_raggio, mi sembra ben di_sposta: o - ra le par_lo.
D.Pas.
mor - to!
Andante
Vni
Vle
Vc.
Cb.
lento
(a Norina)
(Accenna a D. Pasquale)
Dott.
So_relli - na mia ca_ra, di_te... vor - re_ste?... in bre_ve, quel signo_re vi
Recit.
UNITI
Vc.
Cb.
NORINA
(con un'occhiata a D. Pasquale che si ringalluzza)
(timidamente)
A dir_lo ho sugge - zio_ne... Sì. (Sei pure il gran babbio_ne!)
(tornando a D. Pasquale)
pia_ce? Coraggio. Con_

Nor.
(Te n'av_ve_drai fra
Dott.
_sen_te: è vo_stra.
DON PASQUALE
(con trasporto)
Oh giu_bi_lo! be_a_to me!
Vni
Vle
Vc.
Cb.
Nor.
po_co!)
Dott.
Per tut_ti i ca_si da_bi_li, ho tolto meco il mi_o ch'è in anticamera;
(al Dottore)
D.Pas.
Or presto pel no_ta_ro.
Dott.
(Esce.)
or l'in_trudu_co.
(rientrando col Notaro)
Ec_co il no_ta - ro.
D.Pas.
Oh ca_ro! quel Dottor pensa a tut_to.

Moderato
12
Ott.
Fl.
Ob.
Cl.
Do
Fg.
Do
Cor.
Sol
a 2
Trb.
Do
Trbn.
SOL-DO
Tp.
SCENA IV. (Don Pasquale e Norina seduti.-I servi dispongono in mezzo alla scena un tavolo coll'occorrente per scri-
Moderato
12
calando
Vni
Vle
Vc.
Cb.
Fl.
Ob.
Cl.
Do
Fg.
Cor.
Do
vere. Sopra il tavolo, un campanello. Il Notaro saluta, siede e s'accinge a scrivere.- Il Dottore in piedi a destra del No-
Vni
staccato
Vle
staccato
Vc.
Cb.

Ob.
Fg.
Cor. Do
I. II.
pp
taro, come dettandogli.)
DOTTORE
Fra da una parte, et_ce_te_ra, Sofro_nia Malatesta,
legato
p sottovoce
Vni
Vle
PIZZ.
Vc.
Cb.
Cl. Do
Dott.
domi_ciliata, etcetera, con tutto quel che resta. E d'altra parte, etcetera,

Ott.
Ob.
Cl.
Do
Fg.
Cor.
Do
Dott.
IL NOTARO
Vni
Vle
Vc.
Cb.
p cantabile
p
I.
I.II.
a 2
Pa_squa_le da Cor_neto, et_cetera. Coi ti_to_li secondo il consu
Et_cetera.
_e_to...
En_
Not.
Et_cetera.

accelerando a poco a poco
Ott.
Fl.
Ob.
Cl.
Do
Fg.
Do
Cor.
Sot
Trbn.
D.Pas.
cresc.
I.
III.
p
_tram - bi qui pre_sen - ti, vo_len - ti, vo_len - ti e con_sen_
accelerando a poco a poco
Vni
Vle
Vc.
Cb.
ARCO

un poco rall:............... a tempo
Ott.
Fl.
p
Ob.
Cl.
Do
I.
Fg.
Do
Cor.
Sol
III.
p
Trbn.
DOTTORE
Un ma_trimo _ nio in
D.Pas.
_zienti...
IL NOTARO
En_ti.
un poco rall:............... a tempo
Vni
p
Vle
Vc.
PIZZ.
Cb.
PIZZ.

accel.
Ott.
Fl.
calando
Ob.
I.
cresc.
fp
Cl.
Do
I.
fp
Fg.
cresc.
p
Do
Cor.
Sol
cresc.
p
calando
fp
Trb.
Do
Trbn.
Tp.
Dott.
re - gola a strin - - gere si va, si va.
(al Notaro)
D.Pas.
Avete
accel.
Vni
cresc.
fp
calando
cresc.
p
Vle
cresc.
p
ARCO
Vc.
cresc.
fp
ARCO
Cb.
cresc.
f
p

13
Ott.
Fl.
Ob.
Cl.
Do
Fg.
Do
Cor.
Sol
a 2
Trb.
Do
Trbn.
Tp.
D.Pas.
(Va a sinistra del Notaro.)
messo?
Sta ben.
Scrive te appresso.
IL NOTARO
Ho messo.
13
Vni
p stacc.
Vle
p stacc.
Vc.
Cb.

Fl.
Ob.
Cl. Do
Fg.
Cor. Do
I.II.
(come dettando)
D.Pas.
Il qual prefa_to,et_ce_tera, di quan_to e_gli pos_sie_de in mo_bi_li ed im_
legato
Vni
Vle
PIZZ.
Vc.
PIZZ.
Cb.
Ott.
Fl.
Ob.
Cl. Do
I.
Fg.
Do Cor. Sol
III.
D.Pas.
_mo_bi_li, dona tra i vi_vi e ce_de al_la suddetta, et_cetera, sua mo_glie di_let_
Vni
Vle
Vc.
Cb.

Ott.
Ob.
I.
Cl.
Do
Fg.
Do
Cor.
Sol
p
D. Pas.
-tis - sima fin d'o-ra la me - tà.
E inten-de e ordina...
IL NOTARO
Sta scritto.
Vni
Vle
Vc.
Cb.

Ott.
Ob.
Cl.
Do
Fg.
Do
Cor.
Sol
D.Pas.
Che sia riconosciuta...
In que_sta casa e fuori...
Padro_na ampia, asso_
Not.
Na.
U_ta.
O_ri.
Vni
Vle
Vc.
Cb.
I.

Ott.
Fl.
Ob.
Cl. Do
Fg.
Do Cor. Sol
Trb. Do
D.Pas.
-lu-ta, e sia da tutti e singoli di ca-sa rive-ri-ta...
Servita ed obbe-di-ta...
Con ze-lo e fedel
Not.
I-ta.
I-ta.
Vni
Vle
Vc.
Cb.

Ott.
Fl.
Ob.
Cl. Do
Fg.
Do
Cor.
Sol
Trb. Do
I.
NORINA
(a D. Pasquale)
Ri - ve_la il vo_stro
DOTTORE (a D. Pasquale)
Ri - ve_la il vo_stro co - re que_st'at_to di bon_tà.
D. Pas.
_tà.
PIZZ.
PIZZ.
Vni
Vle
Vc.
Cb.

Ott.
Fl.
Ob.
Cl. Do
Fg.
Do
Cor.
Sol
a 2
Trb. Do
I.
Trbn.
Nor.
co - re que-st'at-to di bon-tà.
IL NOTARO
Steso è il con-tratto.
Le
ARCO
Vni
Vle
Vc.
Cb.

col canto
Ott.
Fl.
Ob.
Cl.
Do
In LA
Fg.
a 2
Do
Cor.
Sol
In MI
In LA
Trb.
Do
Trbn.
(conducendo Norina al tavolo con dolce violenza)
DOTTORE
Ca_ra so _ rel_la, or vi_a, si
DON PASQUALE (sottoscrivendo con vivacità)
Ec_co la mi_a.
Not.
firme...
col canto
Vni
Vle
Vc.
Cb.

14
Allegro
Cor. Mi
I.II.
pp
(Mentre Norina sta in atto di sottoscrivere, si sente la voce di Ernesto dalla porta d'ingresso. Norina lascia cader la penna.) (di dentro)
ERNESTO
In_
Dott.
trat_ta di segnar.
Not.
Non ve_do i testimoni, un so_lo non può star.
Vni
Vle
Vc.
Cb.
NORINA
Er_ne_sto! or ve_ra_
Ern.
_die_tro, in_die_tro, ma_scal_zo - ni, in_
Erne_sto! e non sa niente;

Ott.
Fl.
Ob.
Cl. La
Fg.
Mi Cor. La
Trb. La
Trbn.
Tp.
Nor.
-men - te mi vie_ne da tre_mar!
Ern.
-die - tro, in_die - tro;
io voglio entrar,
io voglio entrar,
Dott.
Er_ne - sto può tut_to ro_vi - nar!
E non sa
DON PASQUALE
Mio ni - po_te!
Vni
Vle
Vc.
Cb.
DIV.

Ott.
Fl.
Ob.
Cl.
La
Fg.
Mi
Cor.
La
a 2
a 2
Trb.
La
a 2
Trbn.
Tp.
Nor.
Or tutto vera_men - te ci vie - ne, ci vie_ne a ro_vi -
Ern.
ma - scal_zo - ni, sì, io vo - glio en
Dott.
nien_te. Or tutto vera_men - te ci vie_ne a ro_vi -
Vni
Vle
Vc.
Cb.

Ott.
Fl.
Ob.
Cl.
La
Fg.
Mi
Cor.
La
Trb.
La
Trbn.
Tp.
G. C.
Nor.
_nar!
Ern.
_trar.
Dott.
_nar!
Vni
UNITE
Vle
Vc.
Cb.

15 Poco meno
Ott.
Fl.
Ob.
Cl.
La
Fg.
a 2
Mi
Cor.
La
Trb.
La
Trbn.
Tp.
G.C.
(Senza badare agli altri, va dritto a Don Pasquale.)
(a D. Pasquale, con vivacità)
Ern.
Pria di par - tir, si -
15 Poco meno
Vni
Vle
Vc.
Cb.

Fl.
Ob.
Cl.
La
Fg.
Ern.
gno - re, ven - go per dir - - viad-
Vni
Vle
Vc.
Cb.
Fl.
Ob.
Cl.
La
Fg.
Cor.
Mi
Ern.
di - o, e comeunmalfat.to - re mi vien conte - so en-
Vni
Vle
Vc.
Cb.

Ott.
Fl.
Ob.
Cl.
La
a 2
Fg.
Mi
Cor.
La
Trb.
La
Trbn.
Tp.
Ern.
trar.
DON PASQUALE (ad Ernesto)
S'e - ra in fac-cen-de: giun-to pe-rò voi sie-te in pun - to. A
I.
Vni
Vle
Vc.
Cb.

Fl.
Ob.
I.
Cl.
La
Fg.
I.II.
Cor.
Mi
I.
Trbn.
D.Pas.
fa - re il ma - tri - mo - nio man - ca - va un te - sti monio,
Vni
Vle
Vc.
Cb.

Poco meno
Ott.
Fl.
Ob.
Cl.
La
Fg.
a 2
Mi
Cor.
La
Trb.
La
Trbn.
ERNESTO
(stupito)
(Che ve_do?)
(O
DOTTORE
(ad Ernesto)
(Percarità.
D.Pas.
(volgendosi a Norina)
giun_to voisie_te in punto. Or venga laspo_si_na.
Poco meno
Vni
Vle
Vc.
Cb.

rall:
Ott.
Fl.
Ob.
Cl.
La
Fg.
Mi
Cor.
La
Trb.
La
Trbn.
Ern.
ciel! No_ri_na! misembra di so_gnar!) (Ma que_sto non può
Dott.
Sta zit_to! ci vuoi precipitar.)
D.Pas.
La sposa è quella.
rall:
Vni
Vle
Vc.
Cb.

16 Moderato mosso
Fl.
Ob.
Cl. La
Fg.
Ern.
star.
(Prende Ernesto in disparte.)
Dott.
Ah, figliuol, non mi far sce - ne, fi_gliuol, non mi far sce - ne, è tut_to per tuo
16 Moderato mosso
Vni
I.
Fl.
Ob.
Cl. La
Fg.
Dott.
be - ne, è tut_to per tuo be - ne; se vuoi No_ri_na per_de - re non hai che a se_gui_
Vni.

Fl.
Ob.
Cl.
La
Fg.
NORINA
(A-des-so ve-ramen - te
ERNESTO
So-fronia! sua sorel - la!
Dott.
-tar. Fi - gliuol, non mi far sce - ne, fi - gliuol, non mi far
DON PASQUALE
Gli punge; compati - te - lo,
Vni
Vle
Vc.

Ott.
Fl.
Ob.
Cl. La
Fg.
Nor.
mi vie_ne da tre_ma - re,
Ern.
comincioadim_paz_za - re!
Dott.
sce - ne, è tut _ to per tuo be - ne, è tut _ to per tuo
D.Pas.
lo vo' ca_pa_ci _ ta - re,
Vni
Vle
Vc.

stringendo
Ott.
Fl.
Ob.
Cl.
La
Fg.
Cor.
Mi
I.II.
p
Nor.
sì, sì, mi vie - ne da tre - mar, sì, da tre -
Ern.
sì, sì, co - min - cioad im - paz - zar, ad im - paz -
Dott.
be - ne; se vuoi No - ri - na per de - re non hai che a se gui - tar, non hai che a se gui -
Pas.
sì, sì, lo vo' ca - pa - ci - tar, ca - pa - ci -
stringendo
Vni
Vle
Vc.
Cb.
p

Ott.
Fl.
Ob.
Cl. La
Fg.
Mi Cor. La
a 2
Trb. La
Trbn.
I.
II.III. a2
Tp.
G.C.
Nor.
-mar, sì, da tre - mar, ah, sì,
Ern.
-zar, ad im - paz - zar, sì, co - min - cio ad im - paz-
Dott.
-tar, a se - gui - tar, Se-conda la com - me - dia,
D.Pas.
-tar, ca - pa - ci - tar, lo vo' ca - pa - ci - tar, sì,
Vni
Vle
Vc.
Cb.

Ott.
Fl.
Ob.
Cl. La
Fg.
Mi Cor. La
Trb. La
Trbn.
Tp.
G. C.
Vor.
Ern.
Dott.
D. Pas.
Vni
Vle
Vc. Cb.
a 2
In DO
In FA
UNITI
sì, mi vie - ne, mi vie - ne da tre - mar.
- zar, ad im - paz - zar, ad im - paz - zar.
la - scia, lascia, lascia far, sì, la - scia far.
sì, lo vo' ca - pa - ci - tar, ca - pa - ci - tar.
(volgendosi alla comitiva)
Questo contratto a - dunque si vada ad ulti - mar.
(conduce a sottoscrivere prima Norina, poi Ernesto)
Andante

17 Moderato mosso
NORINA
(Appena segnato il contratto, Norina prende un contegno naturale, ardito senza impudenza.)
(Va il bel - lo a co - minciar.)
Dott.
(Va il bel - lo a co - minciar.)
DON PASQUALE
(Mi sen - to li - que_far.)
IL NOTARO
(riunendo le mani degli sposi)
Sie - te ma_ri - to e mo - glie.
(Se ne va)
17 Moderato mosso
Vni
Vle
Vc.
Cb.
Cor. Fa
I.II.
Nor.
Dott.
D.Pas.
(in atto di abbracciare Norina)
Ca.
calando
p

Fl.
Ob.
Cl.
Do
Cor.
Fa
Nor.
(respingendolo con dolcezza)
A_dagio un po_co: cal_ma_te quel gran
D.Pas.
_ri_na!
DIV.
Vni
Vle
UNITI
Vc.
Cb.
Fl.
Ob.
Cl.
Do
Fg.
Cor.
Fa
Nor.
fo_co. Si chie_de pria li_cen_za.
Vni
DIV.
UNITE
Vle
Vc.
Cb.

18
Ott.
Fl.
Ob.
Cl.
Do
I.
Fg.
Fa
Cor.
Do
Trb.
Do
Trbn.
Nor.
(seccamente)
No.
ERNESTO
(ridendo)
Ahahahahah ah!
(con sommissione)
DON PASQUALE
(con collera)
Me l'accor_da _ te?
Chec'è da ridere, imperti_
UNITI
18
Vni
Vle
Vc.
Cb.

Ott.
Fl.
Ob.
Cl.
Do
I.
Fg.
Fa
Cor.
Do
Trb.
Do
Trbn.
(con disprezzo)
Nor.
Oi_
D.Pas.
_nen _ te? Parti_te su_bi_to, immanti _ nente, via, fuor di ca _ sa...
Vni
Vle
Vc.
Cb.
fp
f

Ott.
Fl.
Ob.
Cl.
Do
Fg.
Fa
Cor.
Do
Trb.
Do
Trbn.
Nor.
-bò!
Mo - di vil-la - ni e ru - sti-ci
Vni
Vle
Vc.
Cb.
I.
p
pp

Ott.
Fl.
Ob.
Cl.
Do
Fg.
Cor.
Fa
Trbn.
Nor.
(ad Ernesto)
che tol - le - rar non so. Re - sta - te.
Vni
Vle
Vc.
Cb.
I.
I.II.
DIV.
UNITE
p

Ott.
Fl.
Ob.
Cl. Do
Fg.
Cor. Fa
I.II.
Trbn.
I.
Nor.
(a Don Pasquale)
Al - tre ma-nie - re ap-prendervi fa-rò.
DON PASQUALE
(costernato)
Dot-
Vni
Vle
Vc.
Cb.

DOTTORE
Don Pasquale!
Son di sa -
D.Pas.
- to re!
È u - n'al - tra!
Vni
calando
Vle
Vc.
Cb.
Ob.
Cl.
Do
Fg.
NORINA
(In fe - de mia dal ri - de - re fre - nar - mi
ERNESTO
(In fe - de mia dal ri - de - re fre - nar - mi
Dott.
- le!
Cal - ma - te - vi, sen - ti - re mi fa -
D.Pas.
Che dir vor - rà!
Vni
Vle
Vc.
Cb.

19

col canto

Ott.

Fl.

Ob.

Cl. Do

I.

Fg.

Fa Cor. Do

Trb. Do

Trbn.

Do

Tp.

rall.

(a Don Pasquale)

Nor. più non so.) Un uom qual voi de-cre-pi-to, qual voi pe-sante e

Ern. più non so.)

Dott. -rò, si, senti - re mi fa-rò.

19

col canto

Vni

Vle

Vc.

Cb.

a tempo
Fg.
Cor. Do
Nor.
grasso con dur non può una giovane decentemente a spasso. Bi sogno ho d'un brac-
a tempo
Vni
Vle
Vc.
Cb.
Ob.
Cl. Do
Fg.
Cor. Do
Nor.
(accennando Ernesto)
-ciere. Sarà mio cavaliere.
DON PASQUALE
(con vivacità)
Oh! questo poi, scusatemi, oh! questo non può
Vni
Vle

Ott.
Fl.
Ob.
Cl. Do
Fg.
Fa Cor. Do
Trb. Do
Trbn.
(freddamente)
Nor.
Non può star? Perchè?
(con ischerno)
Non lo vo_le_te?
(risoluto)
D. Pas.
star.
Perchè nol vo_glio.
Vni
Vle
Vc.
Cb.

20
col canto
Ott.
Fl.
Ob.
Cl.
Do
Fg.
Fa
Cor.
Do
Trb.
Do
Trbn.
rall.
(facendosi presso D.Pasquale con dolcezza affettata)
Nor.
No?
I_do lo mio, vi sup_pli co, scor_dar questa pa_ro - la:
(risoluto)
D.Pas.
No.
20
col canto
Vni
Vle
Vc.
Cb.

a tempo
Fl.
Ob.
Cl.
Do
Cor.
Fa
(con enfasi crescente)
Nor.
Vo - glio, per vo - stra re - go - la, vo - glio, lo di - co io so - la.
D.Pas.
Dot -
a tempo
DIV.
Vni
Vle
UNITI
Vc.
Cb.
Fl.
Ob.
Cl.
Do
Fg.
Cor.
Fa
Nor.
Tutti ob - be - dir qui de - vono, io so - la ho a
D.Pas.
- to - re!
Vni
UNITE
Vle
Vc.
Cb.

Ott.
Fl.
Ob.
Cl. Do
Fg.
Fa Cor. Do
Trb. Do
Trbn.
SI-MI
Tp.
Nor.
co_man_dar.
Non voglio re_pli_ca.
ERNESTO
(Ve_dia_mo che sa
DOTTORE
(Ec_co il momento cri - ti - co.)
Pas.
Ma... ma questo non può star.
Co_
UNITI
Vni
Vle
Vc.
Cb.

Ott.
Fl.
Ob.
Cl.
Do
Fg.
Fa
Cor.
Do
Trb.
Do
Trbn.
Tp.
(stizzita)
Nor.
Che ma?... Ta-ci, buf-fo - ne,
Ern.
far, che sa far, ve-
Dott.
(Ve-
D.Pas.
-stui... non può. I-o? vo-i!
Vni
Vle
Vc.
Cb.

Ott.
Fl.
Ob.
Cl. Do
Fg.
Fa Cor. Do
Trb. Do
Trbn.
Tp.
G.C.
Nor.
Ern.
Dott.
D.Pas.
Vni
Vle
Vc.
Cb.
ff
p
f
I.
a 2
In LA
In MI
ta - ci, ta - ci, zit - to, ta - - ci!
- dia - mo che sa far)
- dia - mo che sa far)
lu - i! I - o? questi! ah!

(con minaccia a D.Pasquale)
a piacere
Nor.
Provato ho a prenderti fi - no-ra col-le buone. Sa-prò, se tu mi stuz-zichi, le mani a do-pe-
col canto
Vni
Vle
Vc.
21
Andante
Fl.
Ob.
Cl. La
Fg.
Mi Cor. La
Trb. La
Trbn.
Tp.
-rar!
(Ve - gli, o so - gni non sa
ERNESTO
(Ve - gli, o so - gni non sa
DOTTORE
(È ri-ma - sto là im-pie-tra - to.
DON PASQUALE
(Dà indietro atterrito)
Sogno? veglio? cos'è sta-to?
PIZZ.
Cb.

Fl.
Ob.
Cl. La
Fg.
Cor. Mi
Tp.
Nor.
be - ne.
Non ha san - gue nel - le
Ern.
be - ne.
Non ha san - gue nel - le
Dott.
Sembra un uom cui manca il fia - to.)
D.Pas.
sogno?
calci?
schiaffi?
brava!
Vni
Vle
Vc.
Cb.

Fl.
Ob.
Cl. La
Fg.
Mi Cor. La
Trb. La
Trbn.
Tp.
Nor.
ve - ne.
Non ha sangue
Ern.
ve - ne. Or l'in_tri - co, man_co ma_le, ah, in_co_
Dott.
(a D.Pasquale)
Via,co_rag - gio, Don Pasqua_le, no, non vi
D.Pas.
be_ne! buon per me che m'ha avvisato. Or vedrem che cos'avviene,
Vni
Vle
Vc.
Cb.

Fl.
Ob.
Cl. La
Fg.
Mi
Cor.
La
Nor.
nel_le ve_ne,
nel_le ve_ne.Or l'a_mi - co — man - co
Ern.
_min - cio a de_ci_fra - re.
Or l'intri_co, man_co
Dott.
sta - te a sgomen_ta - re.
Via, co_rag - gio, — o — Don Pa_
D.Pas.
or vedrem
che co_s'avvien,
or vedrem,
Vni
Vle
Vc.
Cb.

accel.
rall.
a tempo
Fl.
Ob.
Cl. La
Fg.
Mi Cor. La
Trb. La
Trbn.
Tp.
calando
Nor.
ma - - le, si potrà capa - ci - tar, or l'a-
Ern.
ma - - le, in - comincio a de - ci - frar, or l'in-
Dott.
- squa - le, non vi sta - te, non vi sta - te a sgo - men - tar, via co-
D.Pas.
ve - drem, ve - dre - - mo! ba - da
ARCO
Vni
Vle
Vc.
Cb.

Fl.
Ob.
Cl. La
Fg.
Mi Cor. La
Tp.
Nor.
-mi - co, man-co ma - le, si po-trà capa - ci-
Ern.
-tri - co, man-co ma - le, in-co-min - cio,
Dott.
-rag - gio, Don Pa-squa - le, co-rag - - -
D.Pas.
be - ne, Don Pa-squa - le, bada be - ne, ba-da
Vni
Vle
Vc.
Cb.

Poco più
Fl.
Ob.
Cl. La
Fg.
Mi Cor. La
Trbn.
Tp.
cresc:
p cresc:
Nor.
_tar, man_co ma - le, man_co mal, or l'ami - co,
Ern.
in_comin - cio a de_ci_frar, a de - ci_frar, man_coma_
Dott.
_gio, corag - gio, non vi sta - te a sgomen_tar, Don Pasqua_
D.Pas
ben, Don Pa_squa - le, ba - da,
Poco più
Vni
Vle
Vc.
Cb.

rall.
col canto
Fl.
Ob.
Cl. La
Fg.
Mi Cor. La
Trb. La
Trbn.
Tp.
p cresc.
Nor.
manco ma - le, ah, si po - trà ca - pa - ci -
Ern.
- le, man - co ma - le, or co - min - cio a de - ci -
Dott.
- le, no, no, non vi sta - te, no, no, a sgo - men -
D.Pas.
ba - da be - ne, ba - da,
Vni
Vle
Vc.
Cb.

rall.
Fl.
Ob.
Cl. La
Fg.
Cor. Mi
Nor.
-tar, ca - pa - ci - tar,
Ern.
-frar, a de - ci - frar,
Dott.
-tar, a sgo - men - tar,
D.Pas.
badaben, badaben, badaben, Don Pasquale, è u_na donna a far tremar, badaben, badaben, badaben, ch'è una
rall.
Vni
Vle
Vc.
Cb.

a tempo
accel. poco a poco
Fl.
Ob.
Cl. La
Fg.
Mi Cor. La
Trb. La
Trbn.
Tp.
Nor.
Ern.
Dott.
D.Pas.
Vni
Vle
Vc.
Cb.
p cresc.
ff
ah!
sì, sì, l'in_tri _ coor co_min _ cio a de _ ci_
ma non vi sta_ _ _ te a sgomen_tar, a sgomentar, a sgomen_
don_na a far, a far tremar, a far tremar, è don_na, è donna a far tre_
pp

Fl.
Ob.
Cl.
La
Fg.
Mi
Cor.
La
Trb.
La
Trbn.
Tp.
Nor.
si, si, ca - pa - ci - tar.
Ern.
-frar,
si, si, a de - ci - frar.
Dott.
-tar,
no, no, a sgo - men - tar.
D.Pas.
-mar,
è donna a far tre - mar.
Vni
Vle
Vc.
Cb.

22 Allegro moderato
Fl.
Ob.
Cl. La
Fg.
Mi Cor. La
Trb. La
a 3
Trbn.
Tp.
(Va al tavolo, prende il campanello, e suona con violenza. Entra un servo.)
(al servo)
(Il servo parte.)
Nor.
Riunita immanti_nente la servi_tù qui voglio.
D.Pas.
(Che vuol dalla mia
22 Allegro moderato
Vni
Vle
Vc.
Cb.

Fl.
Ob.
Cl.
La
Fg.
Mi
Cor.
La
Trb.
La
Trbn.
Tp.
(Vengono due servi e
un Maggiordomo.)
(ride)
Nor.
Tre in tutto? ah ah ah ah ah ah ah! va be_
DOTTORE
(Or nasce un altro im_broglio.)
D. Pas.
gente?)
Vni
Vle
Vc.
Cb.

col canto
Fl.
Ob.
Cl. La
Fg.
Mi Cor. La
Trb. La
Trbn.
Tp.
(al Maggiordomo)
a piacere
Nor.
-nis-simo, c'è poco da contar, c'è po-co da con-tar. A voi: da quanto sembrami, voi siete il maggior-
col canto
Vni
Vle
Vc.
Cb.
(Il Maggiordomo s'inchina.)
(Il Maggiordomo si confonde in inchini.)
-domo. Su-bi-to v'inco-mincio la paga a raddoppiar. O - ra attenti a-gliordini

23
a tempo
Cl. La
Cor. Mi
Nor.
che mi dispongo a dar.
Di servi_tù no_
al Ponticello
Vni
Vle
Vc.
Cb.
Fl.
Ob.
-vella pen_sate a provve_dermi;
sia gente fresca e

I.
Fl.
Ob.
Fg.
Mi
Cor.
La
Trb.
La
Trbn.
Nor.
bella, ta_le da farci o_nor.
Non ho fi_ni_to an_cora.
DON PASQUALE
(a Norina, con rabbia)
Poi quando avrà fi_ni_to...
Posiz. norm.
Vni
Vle
Vc.
Cb.

Cl.
La
Fg.
Mi
Cor.
La
Nor.
(al Maggiordomo)
Di legni un pa_io si_a domani in scude_
al Ponticello
Vni
Vle
Vc.
Cb.
Fl.
Cl.
La
Fg.
Mi
Cor.
La
Nor.
_ri_a; quant'ai caval_li po_i, lascio la scelta a
Vni
Vle
Vc.
Cb.

I.
Fl.
Ob.
Cl.
La
Fg.
a 2
Mi
Cor.
La
Trb.
La
Trbn.
Tp.
Nor.
vo_i.
Non ho fi_ni_to an_co_ra.
DON PASQUALE
Poi quando a_vrà fi - ni_to...
Be_ne.
Posiz. norm.
Vni
Vle
PIZZ.
Vc.
Cb.

II.
Fl.
Ob.
Cl.
La
Fg.
I. II.
Cor.
Mi
Nor.
La casa è mal di_sposta.
La vo' rifar di posta; sono anti_caglie i
DOTTORE
Meglio.
D. Pas.
La casa?
A_ve_te mai fi_
Vni
Vle
Vc.
Cb.

accel.
Fl.
p cresc.
>p cresc.
>p
Ob.
La
Cl.
La
cresc.
Fg.
Mi
Cor.
La
Trb.
La
Trbn.
Tp.
f
Nor.
mo_bili, si debbon rinno_var; vi son mill'altre cose urgenti, impe_riose, un parrucchiere
(ad Ernesto)
Dott.
Ve_di? senti? Meglio! che te ne par?
D.Pas.
_ni_to? ancora... ebben? che? se...
accel.
Vni
Vle
ARCO
Vc.
Cb.
cresc.

Fl.
Ob.
Cl. La
a 2
In DO
Fg.
a 2
Mi
Cor.
La
a 2
In RE
Trb. La
Trbn.
a 3
Tp.
Nor.
sceglie_re, un sarto, un gioiel_liere...
Fa_te le co - se_in_
Dott.
che te ne par, che te ne par?
(con rabbia concentrata)
D. Pas.
io... voi... a_vete ancor fi_ni - - - to?
Vni
Vle
Vc.
Cb.

Fl.
Ob.
Fg.
Re
Cor.
La
a 2
Trb.
La
Trbn.
DO
Tp.
Nor.
re_gola,
fa_te le co_se in re_gola,
non ci facciam bur_
ERNESTO
(Comincia a lampeg_giar.)
Dott.
(Comincia a lampeg_giar.)
D. Pas.
ma dico...
sto qua_si per schiat_tar...
Vni
Vle
Vc.
Cb.

24 Poco più
Ob.
in DO
Cl. Do
Fg.
Re
Cor.
La
Trb. La
Trbn.
(Il Maggiordomo parte coi servi.)
Nor.
-lar. Oh bella! vo-i.
D. Pas.
Chi paga? A dir-la qui fra
24 Poco più
Vni
DIVISE
Vle
Vc.
Cb.

stringendo
Fl.
Ob.
Cl.
Do
Fg.
a 2
Re
Cor.
La
Trb.
La
Trbn.
LA-RE
Tp.
Nor.
(con disprezzo)
No?
Mi fa_te compas_
D. Pas.
(riscaldato)
no_i, non pago mica.
No!
sono o non son pa_drone?
stringendo
Vni
UNITE
Vle
Vc.
Cb.

accel:............. cresc:
Fl.
Ob.
Cl.
Do
Fg.
Re
Cor.
La
Trb.
La
a 2
Trbn.
Tp.
(con forza)
(a Don Pasquale, con furia crescente)
Nor.
-sione. Padrone ov'io co-mando? Or or vi man-do... Siete un vil - la - no, un
ERNESTO
(Be - ne!
DOTTORE
(interponendosi)
Sorella...
sorella...
(con dispetto)
D. Pas.
È ve-ro, v'ho spo-
accel:............. cresc:
Vni
Vle
Vc.
Cb.

Fl.
Ob.
Cl.
Do
Fg.
Re
Cor.
La
a 2
Trb.
La
I.II.a 2
III.
Trbn.
Tp.
G.C.
Nor.
tan_ghero,un pazzo teme - ra - rio...
sie - te un vil.
Ern.
me - glio!
Il cie - lo si ran.
(a D. Pasquale che sbuffa)
Dott.
Per ca_ri_tà,co_gnato.
So_rel - - la, so.
D.Pas.
_sa_ta...
I_o?
voi sola siete
pazza!
Vni
Vle
Vc.
Cb.

Fl.
Ob.
a 2
Cl.
Do
Fg.
Re
Cor.
La
a 2
a 2
Trb.
La
I.II. a 2
Trbn.
III.
Tp.
G.C.
Nor.
- la - - no, che pre - sto alla ra - gio - ne rimet - te-re sa - prò, rimet - te-re sa -
Ern.
- nu - vo - la, co - min - cia a lampeggiar, comincia a lampeggiar, comin-cia a lampeg -
Dott.
- rel - la... co - gna - to, co - gnato, pru - denza, pru - denza, pru - denza, pru -
(sbuffando sempre, senza poter parlar dalla rabbia)
D. Pas.
io sono qui il pa - drone...
Vni
Vle
DIVISE
Vc.
Cb.

25 Vivace
Fl.
a 2
Ob.
Cl.
Do
Fg.
I.
Re
Cor.
La
Trb.
La
I.II.a 2
III.
Trbn.
Tp.
G.C.
Nor.
-prò, vil_lano, vil_la - no!
Ern.
-giar.)
Dott.
-den - za.
(fuori di sè)
D.Pas.
I_o? io? Son tra - di_to,sontradi_to,sontra-
25 Vivace
Vni
UNITE
Vle
Vc.
Cb.

Fl.
Cl.
Do
I.
Fg.
I.II. a 2
Cor.
Re
Trb.
La
D.Pas.
_di_to, beffeggiato, beffeg_giato,
mil - le fu_rie, mille furie, mille
Vni
Vle
UNITI
Vc.
Cb.
Fl.
Ob.
Cl.
Do
Fg.
a 2
I.
Re
Cor.
La
III.
Trb.
La
D.Pas.
fu_rie, mille furie ho dentro il pet_to,
quest'inferno anti_ci - pa - -
Vni
Vle
Vc.
Cb.

Fg.
I.
Re
Cor.
La
III.
f p
D. Pas.
-to non lo voglio soppor-tar,
quest'inferno anti-ci-pa - - to non lo voglio soppor-
Vni
pp
Vle
Vc.
f pp
Fl.
Ob.
Cl.
Do
a2 f
Trb.
La
a 3
Trbn.
Tp.
G.C.
-tar, no, non lo vo-glio sop-por-tar, no, non lo vo-glio sop-por-tar.
UNITI
Vc.
Cb.

26
Fl.
Ob.
Cl. Do
Fg.
Cor. Re
Trb. La
Trbn.
NORINA
(ad Ernesto)
Or t'av-ve-di, core in-grato, or t'av-ve-di, core in
ERNESTO (a Norina)
So - no, o ca-ra, sin - ce -
DOTTORE (a Don Pasquale)
Sie - te un po-co, siete un poco riscal-
26
Vni
Vle
Vc.
Cb.

I.
Fl.
Ob.
Cl.
Do
Fg.
Re
Cor.
La
Trb.
La
Trbn.
Nor.
-grato, che fu in-giusto
Il tuo so-
Ern.
-ra-to,
momentaneo fu il so-spet-to, momenta-neo fu il so-
Dott.
-da-to, mio co-gnato,
mio cognato, anda-te a
Vni
Vle
Vc.
Cb.
p

Fl.
Ob.
Cl. Do
Fg.
Re
Cor.
La
Trb. La
I.
Trbn.
Tp.
p
Nor.
-spetto,
so-lo amor m'ha consi - glia-to, solo amor m'ha con-si-
Ern.
-spetto, so - lo a - mor
t'ha con - si -
Dott.
let-to.
Son stor - di-to,
son stordi - to, son sde-
DON PASQUALE
Que - st'in - fer - no,
quest'in-ferno anti-ci - pa-to
Vni
Vle
Vc.
Cb.

Fl.
Ob.
Cl. Do
Fg.
Re
Cor.
La
Trb. La
Trbn.
Tp.
Nor.
Ern.
Dott.
D. Pas.
Vni
Vle
Vc.
Cb.
cresc.
a 2
I.
p
-gliato que - sta - parte
a re - ci -
- glia - to,
(a Norina, con rimprovero)
solo amor t'ha con-si - gliato que-sta parte a re-ci-
-gnato,
l'ha co - ste-i,
l'ha co-stei con me da
non lo - vo-glio,
non lo vo-glio soppor - tar.

Fl.
Ob.
Cl.
Do
Fg.
a 2
Re
Cor.
La
a 2
Trb.
La
I. II. a 2
Trbn.
III.
Tp.
G. C.
Nor.
-tar. Don Pa-squa-le po-ve-ret-to!
Ern.
-tar. Sì, Don Pa-squa-le, po-ve-ret-to!
(agli amanti)
Dott.
far. Sì, Don Pa-squa-le, po-ve-ret-to!
D. Pas.
Son tradito, beffeggia-to, mille furie ho dentro il pet-to, quest'inferno anti-ci-
Vni
Vle
DIV.
Vc.
Cb.

Fl.
Ob.
Cl. Do
Fg.
Re
Cor.
La
a 2
Trb. La
I.II.a 2
Trbn.
III.
Tp.
G.C.
Nor.
è vi - ci - no ad af - fo - gar, sì, è vi -
Ern.
è vi - ci - - no ad af - fo - gar, sì, è vi -
Dott.
non vi veg - ga a - mo - reg - giar, no, non vi
D Pas.
- pa - - to non lo voglio soppor-tar, quest'in - fer-no an ti - ci - pa - to non lo
Vni
Vle
Vc.
Cb.

Fl.
Ob.
Cl. *Do*
Fg.
Re Cor. *La*
Trb. *La*
Trbn. I.II. a 2 III.
Tp.
G.C.

Nor. -ci - no ad - af - fo - gar, ad af -
Ern. -ci - no ad - af - fo - gar, ad af -
Dott. veg - ga a - mo - reg - giar, a - - mo -
D.Pas. vo-glio, non lo vo-glio sop-por- tar, no, sop -

Vni
Vle UNITE DIV.
Vc.
Cb.

Fl.
Ob.
Cl. Do
Fg.
a 2
a 2
Re
Cor.
La
a 2
Trb. La
Trbn.
Tp.
G. C.
Nor.
-fo - -gar, è vi-ci-no ad af-fo-gar.
Ern.
-fo - -gar, è vi-ci-no ad af-fo-gar.
Dott.
-reg - -giar, at-ten-zio-ne, at-ten-zio-ne.
D.Pas.
-por - -tar, non lo-vo-glio sop-por-tar.
(a Norina, ironico)
La casa è mal di-
Vni
UNITE
Vle
Vc.
Cb.

27
Fg.
Cor. Re
I. II.
Nor.
(con dispetto)
Sì!
Sì!
D.Pas.
-spo - - sta, son an-ti-caglie i mo - - bi - li... un pranzo per cin-
27
Vni
Vle
Vc.
Ob.
I.
Cl. Do
Fg.
a 2
Cor. Re
I. II.
Nor.
Sì.
Sì, sì, sì,
ERNESTO
(ride)
Ah! ah! ah!
DOTTORE
(ride)
Ah! ah! ah!
D.Pas.
-quan - - ta, un sarto, un gioiel-lie-re, la ca-sa, il pran-zo... Sì, sì, ah!
Vni
Vle
Vc.

Fl.
Ob.
Cl. Do
Fg.
Re Cor. La
Trb. La
Trbn.
Tp.
Nor.
sì!
Oh, Don Pasqua_le, po _ ve _
Ern.
ah!
Oh, Don Pasqua_le, po _ ve _
Dott.
ah!
Andate un poco a let _ _
D. Pas.
son tra _ di_to, son tradi_to, son tra_di_to, beffeggiato, beffeggiato,
Vni
Vle
Vc.
Cb.

Fl.
Ob.
Cl. Do
Fg.
Re
Cor.
La
Trb. La
Nor.
-ret-to!
è vi-
Ern.
-ret-to!
è vi-
Dott.
-to,
mio cognato, andate a
D. Pas.
mil - le fu-rie, mille furie, mille fu-rie, mil-le furie ho dentro il petto.
Vni
Vle
Vc.
Cb.

Poco più
Fl.
Ob.
Cl.
Do
Fg.
Re
Cor.
La
Trb.
La
Trbn.
Tp.
G.C.
Nor.
-ci - no ad af - fo - gar. Or t'av - ve - di, o co - re in - gra - to, se fu in-
Ern.
-ci - no ad af - fo - gar. So - no, o ca - ra, sin - ce - ra - to, mo - men-
Dott.
let - - to. At - ten - zio - ne, che il vec - chiet - to non vi
D.Pas.
Dal - la rab - bia, dal dispet - to son vi - ci - no
Poco più
Vni
Vle
Vc.
Cb.

a 2
Fl.
f cresc.
Ob.
f cresc.
a 2
Cl.
Do
f cresc.
Fg.
f cresc.
Re
Cor.
La
f cresc.
a 2
f cresc.
Trb.
La
f cresc.
Trbn.
f cresc.
Tp.
f cresc.
G.C.
f
Nor.
giu - sto il tuo so - spet - to, so - lo a - mor m'ha con - si - glia - to que - sta
Ern.
- ta neo fu il so - spet - to, so - lo a - mor t'ha con - si - glia - to que - sta
Dott.
veg - ga a - mo - reg - giar, at - tenzion, at - tenzion, attenzione, che il vec.
D.Pas.
a sof - fo - car, son vi - ci - no a sof - fo - car, sì, son vi -
Vni
f cresc.
f cresc.
Vle
f cresc.
Vc.
f cresc.
Cb.
f cresc.

a 2
Fl.
Ob.
Cl.
Do
Fg.
Re
Cor.
La
Trb.
La
Trbn.
Tp.
G.C.
Nor.
par - te a re - ci_tar, a re_ci -
Ern.
par - te a re - ci_tar, que - sta par - te a re - ci_tar, sì, que - sta par - te a re - ci -
Dott.
_chietto non vi vegga amoreggiar, at - ten_zio - ne, non vi veg - ga, non vi veg - ga amo - reg -
D. Pas.
_ci - no a sof - fo_car, no, no, non voglio quest'in - fer - no sop_por -
Vni
Vle
Vc.
Cb.

28 Più presto
Fl.
Ob.
Cl. Do
Fg.
Re Cor. La
Trb. La
Trbn.
Tp.
G. C.
Nor.
-tar, sì, so - lo a-mor m'ha con - - si-glia-to que-sta
Ern.
-tar, sì, so - lo a-mor t'ha con - - si-glia-to que-sta
Dott.
-giar, no, no, no, non vi veg-ga a-mo-reg-giar,
D.Pas.
-tar, no, non lo vo - - glio, no, nol vo-glio sop-por-tar,
28 Più presto
Vni
DIVISE
Vle
Vc.
Cb.

Fl.
Ob.
Cl.
Do
a 2
Fg.
Re
Cor.
La
Trb.
La
Trbn.
Tp.
G. C.
Nor.
par - te a re - ci - tar, a re - ci -
Ern.
par - te a re - ci - tar, a re - ci -
Dott.
no, non vi veg - ga a - mo - reg -
D. Pas.
no, no, nol vo - glio sop - por -
Vni
Vle
Vc.
Cb.
ff

Fl.
Ob.
Cl. Do
Fg.
Re Cor. La
Trb. La
Trbn.
Tp.
G.C.
Nor.
Ern.
Dott.
D. Pas.
Vni
Vle
Vc.
Cb.
ff
a 2
I.II. a 2
III.
a 3
-tar, sì, so - lo a - mor m'ha con - si - glia-to que-sta
-tar, sì, so - lo a - mor t'ha con - si - glia-to que-sta
-giar, no, no, no, non vi veg-ga a - mo-reg - giar,
-tar, no, non lo vo - glio, no, nol vo-glio sop-por - tar,

Fl.
Ob.
Cl.
Do
Fg.
Re
Cor.
La
Trb.
La
Trbn.
Tp.
G. C.
Nor.
par_te a re_ci_tar, a re ci
Ern.
par_te a re_ci_tar, a re ci
Dott.
no, non vi veg ga a_mo reg
D. Pas.
no, no, nol vo glio sop por
Vni
Vle
Vc.
Cb.

29
a 2
Fl.
f
cresc.
Ob.
Cl.
Do
fp
Fg.
p
Re
Cor.
La
Trb.
La
Trbn.
Tp.
G.C.
Nor.
-tar. Don Pa-squa - le, po - ve-ret - to! è vi-ci - no ad af - fo-
Ern.
-tar. Don Pa-squa - le, po - ve-ret - to! è vi-ci - no ad af - fo-
Dott.
-giar, at - ten-zio - ne, at - ten-zio - ne, non vi veg - ga, non vi
D. Pas.
-tar, no, no, non lo posso, non lo posso soppor-
29
Vni
UNITE
Vle
Vc.
Cb.

Fl.
Ob.
Cl. Do
Fg.
Re
Cor.
La
Trb. La
Trbn.
Tp.
G.C.
Nor.
Ern.
Dott.
D.Pas.
Vni
Vle
Vc.
Cb.
a 2
cresc.
-gar, ad af - fo-gar, è vi-ci-no ad af-fo-gar, ad af - fo-
veg - ga a-mo - reg-giar, non vi veg-ga a-mo-reggiar, no, non vi
-tar, no, sop - por-tar, no, no, no, no, nol posso, non lo

a 2
Fl.
Ob.
Cl.
Do
Fg.
Re
Cor.
La
Trb.
La
Trbn.
Tp.
G. C.
Nor.
-gar ad af - fo-gar, ad af - - fo - gar,
Ern.
-gar ad af - fo-gar, ad af - - fo - gar,
Dott.
vegga,non vi vegga amoreg-giar, a - mo - - reg - giar,
D. Pas.
pos-so,non lo pos-so, non lo pos - - so sop - - por - tar, dal-la
Vni
Vle
Vc.
Cb.

Fl.
Ob.
Cl. Do
Fg.
Re Cor. La
Trb. La
Trbn.
Tp.
G.C.
Nor.
ad af - - fo - - gar, ad
Ern.
ad af - - fo - - gar, ad
Dott.
a - - mo - - reg - - giar, a - -
D.Pas.
rab_bia, dal di_spet_to son vi_ci_no a soffo_car, dal_la rab_bia, dal di_
Vni
Vle
Vc.
Cb.

Fl.
Ob.
Cl.
Do
Fg.
Re
Cor.
La
Trb.
La
Trbn.
Tp.
G. C.
Nor.
af - - fo - - gar, ad af - fo - gar, ad
Ern.
af - - fo - - gar, ad af - fo - gar, ad
Dott.
- mo - - reg - - giar... a - mo - reg - giar, a -
D. Pas.
- spet - to son vi - ci - no a sof - fo - car, son vi - cino a soffo - car, son vi - cino a soffo -
Vni
Vle
Vc.
Cb.

Fl.
Ob.
Cl.
Do
Fg.
Re
Cor.
La
Trb.
La
Trbn.
Tp.
G.C.
Nor.
af - fo - gar, sì, è vi - ci - no ad af - fo -
Ern.
af - fo - gar, sì, è vi - ci - no ad af - fo -
Dott.
- mo - reg - giar, sì, è vi - ci - no ad af - fo -
D.Pas.
- car, sì, son vi - ci - no a sof - fo -
Vni
DIVISI
DIVISE
Vle
Vc.
Cb.

Fl.
Ob.
Cl.
Do
Fg.
Re
Cor.
La
a 2
Trb.
La
Trbn.
a 3
Tp.
G.C.
ff
Nor.
- gar.
Ern.
- gar.
Dott.
- gar.
D. Pas.
- car.
Vni
UNITI
Vle
Vc.
Cb.

Fl.
a 2
Ob.
Cl.
Do
a 2
Fg.
Re
Cor.
La
a 2
Trb.
La
Trbn.
a 3
Tp.
G. C.
Vni
Vle
Vc.
Cb.

Fine dell' Atto II.

ATTO TERZO

N.º 8. CORO D'INTRODUZIONE

SCENA I. Sala in casa di Don Pasquale come nell'Atto I. e II.- Sparsi sui tavoli, sulle sedie, per terra, articoli di abbigliamento femminile, abiti, cappelli, pellicce, sciarpe, merletti, cartoni, *ecc.* Don Pasquale, seduto nella massima costernazione davanti una tavola piena zeppa di liste e fatture; vari Servi in attenzione.- Dall'appartamento di donna Norina esce un parrucchiere con pettini, pomate, ciprie, ferri per arricciare, *ecc.*, attraversa la scena, e via per la porta di mezzo.

Ott.
Fl.
Ob.
Cl.
Do
Fg.
Re
Cor.
La
Trb.
La
Trbn.
LA-RE
Tp.
G.C.
SIPARIO
DIV.
Vni.
Vle
Vc.
Cb.
a 2

Ott.
Fl.
Cl. Do
a 2
Fg.
Re
Cor.
La
Trb. La
Trbn.
I.
(Servi e donzelle che vanno e vengono)
Tenori
(Uno solo) (annunziando)
La cuf_fia_ra.
CAMERIERI
(tre o quattro)
Bassi
I diaman_ti,presto,pre_sto.
Vni
Vle
PIZZ.
Vc.
Cb.

Ott.
Fl.
Ob.
Cl.
Do
Fg.
Re
Cor.
La
Trb.
La
Trbn.
Tp.
a 2
I.
(La cuffiara, portante un monte di cartoni, viene introdotta nell'appartamento di Norina.
Soprani
(Una sola)
Venga avan - ti.
Bassi
Pre - sto, pre - sto...
Vni
Vle
Vc.
Cb.

Ott.
Fl.
Ob.
Cl. Do
Fg.
Re Cor. La
a 2
Trb. La
Trbn.
I.
Tp.
G.C.
Soprani
(Un'altra)
Il ven_taglio.
Tenori
(Un altro)
Il ve_lo.
(Un altro)
Presto,
(con pelliccia, mazzo di fiori, ecc. che consegna ad un servo)
Bassi (Un altro)
In carroz _ za tut _ to questo.
(Un altro)
I guanti, presto,
Vni
Vle
DIV.
Vc.
ARCO
Cb.
ARCO

Ott.
Fl.
Ob.
Cl.
Do
Fg.
Re
Cor.
La
Trb.
La
Trbn.
Tp.
G.C.
a 2
f
(Un'altra)
Presto, presto.
pre_sto.
(Un altro)
Presto, pre_sto.
(Tre o quattro)
Presto, presto, presto,
pre_sto.
I caval_li sul mo_men_to or_di_na_te d'attac_car.
UNITI
UNITE
Vni
Vle
Vc.
Cb.

Ott.
Fl.
Ob.
Cl. Do
Fg.
Re Cor. La
Trb. La
Tbn.
Tp.
C.
a 2
I.
DON PASQUALE
Che marea, che stordi_mento! È u_na ca_sa da impaz_zar, è u_na
(Tre o quattro)
Presto, presto, presto, presto.
presto.
La carrozza.
Presto, presto, presto, presto.
La carrozza.
ni
le
c.
b.

Ott.
Fl.
Ob.
Do
Cl.
Do
Fg.
Re
Cor.
La
Trb.
La
Trbn.
Tp.
G.C.
D.Pas.
ca - sa da im_pazzar, sì, da impaz_zar, da im - paz - zar, da im - paz - zar, da im - paz -
(Tutte)
Pre - sto, pre - sto, pre -
(Tutti)
Pre - sto, pre - sto, pre -
(Tutti)
Pre - sto, pre - sto, pre -
Vni
Vle
Vc.
Cb.

Ott.
Fl.
Ob.
Cl. Do
Fg.
Re
Cor.
La
Trb. La
Trbn.
a 3
Tp.
G.C.
D.Pas.
_zar.
(Corrono via tutti.)
_sto, la car_roz_za, pre_sto, pre_sto, pre_sto, pre_ _sto.
_sto, la car_roz_za, pre_sto, pre_sto, pre_sto, pre_ _sto.
_sto, i caval_li, pre_sto, pre_sto, pre_sto, pre_ _sto.
Vni
Vle
Vc.
Cb.

Nº 9. RECITATIVO E DUETTO

«NORINA E DON PASQUALE»

Recitativo
Andante
(Pensa.)
D. Pas.
Che cosa vorrà dir questa gran gala!
Uscir sola a que-
Recitativo
Andante
Vni
Vle
Vc. Cb.
(risoluto)
-st'ora, nel primo dì di nozze?
debbo oppormi a ogni costo, ed impe-dirlo.
Ma...
si fa presto a dirlo: co-
-le-i ha certi occhiacci, cer-to far da sul-ta-na!...
Ad o-gni mo-do vo'provar-mi; se
Allegro
po-i fal-li-sce il tenta-ti-vo...
Ecco-la; a no-i.
Allegro

1
Allegro
Ott.
Fl.
Ob.
Cl.
La
a 2
Fg.
Cor.
Re
I. II.
Trb.
La
Trbn.
LA-MI
Tp.
SCENA II.
(Norina entra correndo e, senza badare a Don Pasquale, fa per uscire. È vestita in grandissima gala, ventaglio in mano.)
1
Allegro
Vni
Vle
Vc.
Cb.

Meno mosso
Ott.
Fl.
Ob
Cl.
La
Fg.
I.II.
Cor.
Re
Trb.
La
Trbn.
Tp.
NORINA
È u_na
DON PASQUALE
Signo_rina, in tanta fretta do_ve va vorrebbe dirmi?
Meno mosso
Vni
Vle
Vc.
Cb.

Fl.
Ob.
Cl. La
Fg.
I.II.
Cor. Re
Nor.
co - sa, è una cosa presto det - ta: al te - a - tro, al te-a-tro a dive
Cb.
Ott.
Fl.
Ob.
Cl. La
Fg.
I.II.
Cor. Re
Trb. La
Trbn.
Tp.
Nor.
-tir-mi.
DON PASQUALE
Ma il ma - ri - to, con sua pa - ce, non vo-
marcato
Vni
Vle
UNITI
Vc. Cb.

Ott.
Fl.
Ob.
Cl.
La
Fg.
I. II. a 2
Cor.
Re
Trb.
La
Trbn.
Tp.
Vor.
Pas.
In DO
In DO
Il ma_ri_to ve_de e ta_ce; quando
_ler potria tal_vol_ta.
Vni
Vle
Vc.
Cb.
I.
par_la non s'ascol_ta...
(imitandola)
Il mari_to quando par_la non s'ascolta, non s'a...
Non s'ascol_ta?

2 Più allegro
Ott.
Fl.
Ob.
Cl. Do
Fg.
I. II. a 2
Cor. Do
Trb. Do
a 2
Trbn.
a 3
Tp.
(con bile crescente)
D. Pas.
A non mettermi al ci_men_to, a non mettermi al ci_men_to, signo_ri_na, la con - siglio:
2 Più allegro
Vni
DIVISE
Vle
Vc.
Cb.

I.II. a 2
a 2
a 2
a 3
(con aria di motteggio)
A star
va - da in camera al momento, vada in camera al momento, ella in casa reste - rà.
p
p
p
p

Fl.
Cl. Do
Fg.
Nor.
Vni
Vle
Vc.
Cb.
a 2
che - to e non far sce - ne per mia par - te lo scon-giu - ro; va - da
let - to, dor - ma be - ne, poi do - man si par - le - rà, va - da a

Fl.
Ob.
I.
Nor.
letto, vada a letto, dorma bene, dorma, dorma, dorma be_ne, poi doman si parle _ rà, va_
Vni
UNITE
Vle
Vc.
Ott.
Fl.
Ob.
Cl. Do
Fg.
Cor. Do
I.II.
Nor.
da, dor _ma, dorma, dorma, dorma bene, poi doman si parle _ rà, va_
Vni
Vle
Vc.

Ott.
Fl.
Ob.
Cl. Do
Fg.
Cor. Do
Trb. Do
Trbn.
Tp.
Nor.
Vni
Vle
Vc.
Cb.
I.
a 2
I. II.
col canto
rall.
-da, dor- - -ma, poi doman si par-le-rà,
vada a letto, dorma

Ott.
Fl.
Ob.
Cl. Do
Fg.
Cor. Do
I.II.
Trb. Do
Trbn.
Tp.
(Va per uscire.)
(ironica)
Nor.
be_ne, poi doman si parle _ rà.
Ve_ra_men _ te!
So _ no
(interponendosi fra lei e la porta)
D.Pas.
Non si sor _ te.
So _ no stan_co.
Vni
Vle
Vc.
Cb.

3 Poco più
Ott.
Fl.
Ob.
a 2
Cl.
Do
Fg.
Cor.
Do
I.II.
Trb.
Do
Trbn.
Tp.
Nor.
(per andarsene)
stu - fa.
Non v'ascol - to.
Sono stu - fa.
D.Pas.
Non si sor - te.
Sono stan - co.
Civettella, civet -
3 Poco più
Vni
Vle
Vc.
Cb.

Ott.
Fl.
Ob.
Cl. Do
Fg.
Cor. Do
I.II.
Trb. Do
Trbn.
Tp.
(con gran calore)
(Gli dà uno schiaffo.)
Nor.
Imper_ti_nen _ te!
Prendi,
prendi su che benti sta.
D.Pas.
_tel _ la!
Civettella, ci_vet_tel_la!
Ah!
Vni
Vle
Vc.
Cb.

4
Larghetto
Fl.
Ob.
I.
(da solo, quasi piangendo)
D.Pas.
(È fi_ni _ ta, don Pa_squale, è fi_ni _ ta, don
4
Larghetto
Vni
PIZZ.
Vle
PIZZ.
Vc.
PIZZ.
Cb.
PIZZ.
Ott.
Fl.
Ob.
I.
Cl. Do
I.
Fg.
D.Pas.
_squale,
hai bel rom_perti la testa, hai bel romper_ti l
Vni
Vle
Vc.
Cb.

Fl.
Ob.
I.
Fg.
D.Pas.
testa!
Altro a fa_re non ti resta, altro a fa_re non ti
Vni
Vle
Vc.
Cb.
Ott.
Cor. Do
I.II.
resta
che d'andar_ti ad affo_gar, che d'andar_ti ad affo_

Fl.
Cl. Do
Fg.
Cor. Do
NORINA (fra sè)
(È du - ret - ta la le - zio - ne, ma ci vuo - le a
D.Pas.
-gar.
È fi-ni-ta, sì,...
Vni
ARCO
Vle
(PIZZ.)
Vc.
(PIZZ.)
Cb.
Trbn.
Nor.
far l'ef - fet - to; or bi - so - gna del pro -
DonPasquale, sì, altroafa-renonti restachedandartiadaffo-gar, è fi-ni-ta,è fi
ARCO

Fl.
f
p calando
Ob.
f
Cl.
Do
I.
f
p calando
Fg.
f
calando
p
Cor.
Do
I.II.
f
p
Trb.
Do
f
Nor.
calando
-get - to la vit - to - ria as-si - cu-
D.Pas.
-ni-ta, altro a fa-re non ti re-sta che d'andar-ti ad affo-gar, don Pa-squale, don Pa-
Vni
f
p calando
calando
f
Vle
f
calando
Vc.
f
p calando
Cb.
f
p

Fl.
Ob.
Cl.
Do
Fg.
Cor.
Do
Trb.
Do
Trbn.
Nor.
-rar, or bi - so - gna del pro -
D.Pas.
-squale, altro a fa - re non ti re - sta, altro a fa - re non ti re - sta che d'andarti ad affo - gar, don Pasquale don Pa
Vni
Vle
Vc.
Cb.

Fl.
Ob.
I.
Cl.
Do
Fg.
III.
Cor.
Do
I.
Trb.
Do
I.
Trbn.
p
Nor.
-get - to la vit - to - ria, la vit - toria as - si-cu-
D. Pas.
-squale, ah, è fi-nita, altro a fa-re non ti re-sta che d'andarti ad affo-gar, ad af - fo-
Vni
Vle
Vc.
Cb.

5 Poco più
Ott.
Fl.
Ob.
Cl. Do
a 2
Fg.
a 2
Cor. Do
I.II.a 2
Trb. Do
Trbn.
I.
Tp.
Nor.
-rar, or bi - so-gna la vit-to - ria as-si-cu-
D.Pas.
-gar, altro a far non ti re-sta che d'an - darti ad af - fo-gar, che d'an-dar-ti ad af - fo-
5 Poco più
Vni
Vle
Vc.
Cb.

Ott.
Fl.
Ob.
a 2
Cl.
Do
a 2
Fg.
I.II. a 2
Cor.
Do
Trb.
Do
I.
rbn.
Tp.
Vor.
-rar, or bi - so-gna la vit - to - ria
.Pas.
-gar, altro a far non ti re - sta che d'an - darti ad af - fo - gar, che d'an-
ni
le
Vc.
Cb.

Ott.
Fl.
Ob.
Cl. Do
Fg.
Cor. Do
Trb. Do
Trbn.
Tp.
Nor.
D.Pas.
Vni
Vle
Vc.
Cb.
(a Don Pasquale)
decisa
as - - - - - si - cu - rar.)
Parto a-
-dar-ti
ad af - fo-gar.)

6 Allegro
Ott.
Fl.
Ob.
Cl. Do
Fg.
Cor. Do
Trb. Do
Trbn.
Tp.
Vor.
dunque...
Ci vedremo al nuovo
Pas.
Par - ta pure, ma non faccia più ri - tor - no.
6 Allegro
Vni
Vle
Vc.
Cb.

Ott.
Fl.
Ob.
Cl. Do
a 2
Fg.
I. II. a 2
Cor. Do
Trb. Do
Trbn.
Tp.
Nor.
giorno. Ci vedre - mo, ci vedre -
D. Pas.
Por - ta chiu - sa tro - ve - rà, por - ta chiu - sa tro - ve.
Vni
Vle
Vc.
Cb.

Ott.
Fl.
Ob.
Cl. Do
Fg.
I.II.
Cor. Do
a 2
Trb. Do
Trbn.
Tp.
(Vuol partire, poi ritorna.)
Nor.
-mo.
Ah! spo - - - - so!
D. Pas.
-rà, sì, porta chiusa tro-ve - rà.
Vni
Vle
Vc.
Cb.

7 Vivace, ma non troppo
Ob.
Cl. Do
Cor. Do
con civetteria
Nor.
Via, ca - ro spo - si - no, non far - mi il ti - ran - no, sii dol -
7 Vivace, ma non troppo
Vni
Vle
PIZZ.
Vc.
PIZZ.
Cb.
Fl.
Ob.
a 2
Cl. Do
Fg.
I.II.
Cor. Do
Trb. Do
Trbn.
Tp.
Nor.
- ce, bo - ni - no, ri - flet - ti al - l'e - tà. Va a let -
Vni
Vle
ARCO
PIZZ.
Vc.
ARCO
PIZZ.
Cb.

Ob.
Cl. Do
Fg.
Cor. Do
Vor.
-to, bel non - no, sia che - to il tuo son - no; per tem -
Vni
Vle
Vc.
Cb.
Ott.
Fl.
Ob.
Cl. Do
Fg.
Cor. Do
Trb. Do
Tp.
Vor.
-po a sve-gliar - - ti la spo-saver-rà, va, va, va,
Vni
Vle
Vc.
Cb.
ARCO

Ott.
Fl.
Ob.
Cl. Do
Fg.
I.
I.II.
Cor. Do
Trb. Do
Trbn.
Tp.
Nor.
va a let - to, bel non - no, sia che - to il tuo son
Vni
Vle
PIZZ.
Vc.
Cb.

8
Fl.
fp
p
Ob.
I.
Cl.
Do
Fg.
Cor.
Do
I.II.
f
Trb.
Do
Trbn.
II.III.a2
Tp.
Nor.
-no; per tem - po a sve-gliar - - ti la sposa ver- rà.
DON PASQUALE
Di-vor - zio! di -
Vni
Vle
Vc.
Cb.

Ott.
Fl.
I.
Ob.
Cl.
Do
Fg.
Cor.
Do
I.II.
Trb.
Do
Trbn.
Tp.
D.Pas.
-vorzio! Che let-to! che spo-sa! Peg-gio - re consorzio di questo non v'ha, peg-
Vni
Vle
DIVISE
UNITE
Vc.
ARCO
Cb.
ARCO

Ott.
Fl.
Ob.
Cl.
Do
Fg.
a 2
p
stacc.
Cor.
Do
I.II.
Trb.
Do
I.
p
Trbn.
Tp.
D. Pas.
p
-gio - re con-sor - zio di que - sto non v'ha. Oh po-ve-ro sciocco! se
Vni
p
PIZZ.
p
Vle
PIZZ.
p
Vc.
PIZZ.
p
Cb.
PIZZ.
p

a 2
Fg.
I.
Trb.
Do
D.Pas.
duri in cer_vel_lo con que_sto martel_lo mi_ra_col sa_rà, mi_racol sa_rà, mi_racol sa_
Vni
Vle
Vc.
Cb.
9
rall. un poco a tempo
Cl.
Do
p
a 2
Fg.
I.II. a 2
Cor.
Do
I.
a 2
Trb.
Do
NORINA
Ah! via, ca_ro spo_si_no, non far_mi il ti
D.Pas.
_rà, con questo mar_tel_lo mi_racol sa_rà.
9
rall. un poco a tempo
Vni
ARCO
Vle
Vc.
Cb.

Fl.
I.
f
Ob.
I.
fp
f
Cl.
Do
a 2
f
Fg.
f
Cor.
Do
I.
f
Trb.
Do
f
Trbn.
f
Tp.
f
Nor.
f
-ran - no, sii dol - ce, bo-ni - no, ri-flet - ti al-l'e-tà.
D. Pas.
Di-vorzio! di-vorzio!
Di - vorzio! di-vor - zio!
Vni
fp
f
f
p
Vle
f
p
Vc.
ARCO
f
Cb.
ARCO
f

Ob.
Cl. Do
Fg.
Nor.
Va a let - to, bel non - no, sia che - to il tuo son
D. Pas.
Oh po-ve-ro sciocco! se duri incer-vel-lo
Vni
Vle
PIZZ.
Vc.
PIZZ.
Cb.
Ott.
Fl.
Ob.
Cl. Do
Fg.
Cor. Do
Nor.
-no; per tem - po a sve-gliar - - - ti la spo-sa ver
D. Pas.
con questo, con questo mar - tel-lo, con questo mar - tel-lo mi - ra-col sa
Vni
Vle
Vc.
Cb.

Ott.
Fl.
Ob.
Cl.
Do
Fg.
Cor.
Do
I.II.
Trb.
Do
Trbn.
Tp.
Nor.
-rà,va, va, va, va,per tem - po a sve-gliar
D.Pas.
-rà, oh! po-ve-ro sciocco! se duri in cer-vel-lo mi-ra-col sa-rà,
Vni
Vle
ARCO
PIZZ.
Vc.
Cb.

10
Poco più
Fl.
Ob.
Cl.
Do
Fg.
Cor.
Do
Trb.
Do
Trbn.
Tp.
Nor.
-ti la sposaver - rà. Va a let-to,ma - ri-to...
Va a let-to,bel nonno...
D.Pas.
sì,mi - racol sa - rà.
Non so-no ma - ri-to.
Non
10
Poco più
Vni
Vle
Vc.
ARCO
Cb.
ARCO

Ott.
Fl.
Ob.
Cl.
Do
Fg.
Cor.
Do
Trb.
Do
Trbn.
Tp.
Nor.
D.Pas.
Vni
Vle
Vc.
Cb.
a 2
I.II. a 2
I.
va a let - to, a let - - - - - to, mio
son vostro non_no...Se duro in cervel_lo con questo martel - lo mi - ra - col, mi_

Ott.
Fl.
Ob.
Cl.
Do
Fg.
a 2
I.II.
Cor.
Do
a 2
a 2
f
Trb.
Do
I.
Trbn.
Tp.
f
Nor.
non - no, vaa let_to,ma _ ri_to...
vaa let_to,bel non_no...
D.Pas.
_ra_col sa_rà.
Non so_no ma _ ri_to.
Non
Vni
Vle
Vc.
Cb.

Ott.
Fl.
Ob.
Cl. Do
a 2
Fg.
Cor. Do
I.II.
Trb. Do
Trbn
I.
Tp.
Vor.
va a let - - to, a let - - - - - -
Pas.
son vostro non_no... Se duro in cer_vel_lo con questo mar_tel_lo mi -
Vni
Vle
Vc.
Cb.

11
Ott.
Fl.
Ob.
Cl.
Do
Fg.
I.II.
Cor.
Do
Trb.
Do
Trbn.
Tp.
Nor.
-to, mio non - - no, la sposa, la sposa svegliarti saprà, la
D.Pas.
-ra - col, mi-ra - col sa-rà, mi - ra - col sa - rà, sì, con
11
Vni
Vle
Vc.
Cb.

Ott.
Fl.
Ob.
Cl.
Do
a 2
Fg.
I.II.
Cor.
Do
Trb.
Do
Trbn.
Tp.
Nor.
sposa, la sposa svegliarti sa_prà, sì, la sposa sve_gliar - ti sa_prà, sì, la sposa sve -
Pas.
questo mar - tel_lo mi - racol sa - rà, mi - ra - col sa - rà, mi -
Vni
Vle
Vc.
Cb.

Ott.
Fl.
Ob.
Cl.
Do
Fg.
Cor.
Do
Trb.
Do
Trbn.
Tp.
a 2
a 3
I.II.
Nor.
-gliar - ti sa-prà, sì, la sposa svegliar - - ti sa - - prà.
(Parte; nel-
D.Pas.
-ra - col sa-rà, mi-ra - col, mi-ra - col sa-rà.
Vni
Vle
Vc.
Cb.

Ott.
Fl.
Ob.
Cl. Do
a 2
Fg.
I.II. a 2
Cor. Do
In LA
Trb. Do
In LA
a 3
Trbn.
Tp.
...l'atto di partire lascia cadere una carta. Don Pasquale se ne avvede e la raccoglie.)
Vni
DIV.
UNITE
Vle
Vc.
Cb.

Nº 10 RECITATIVO

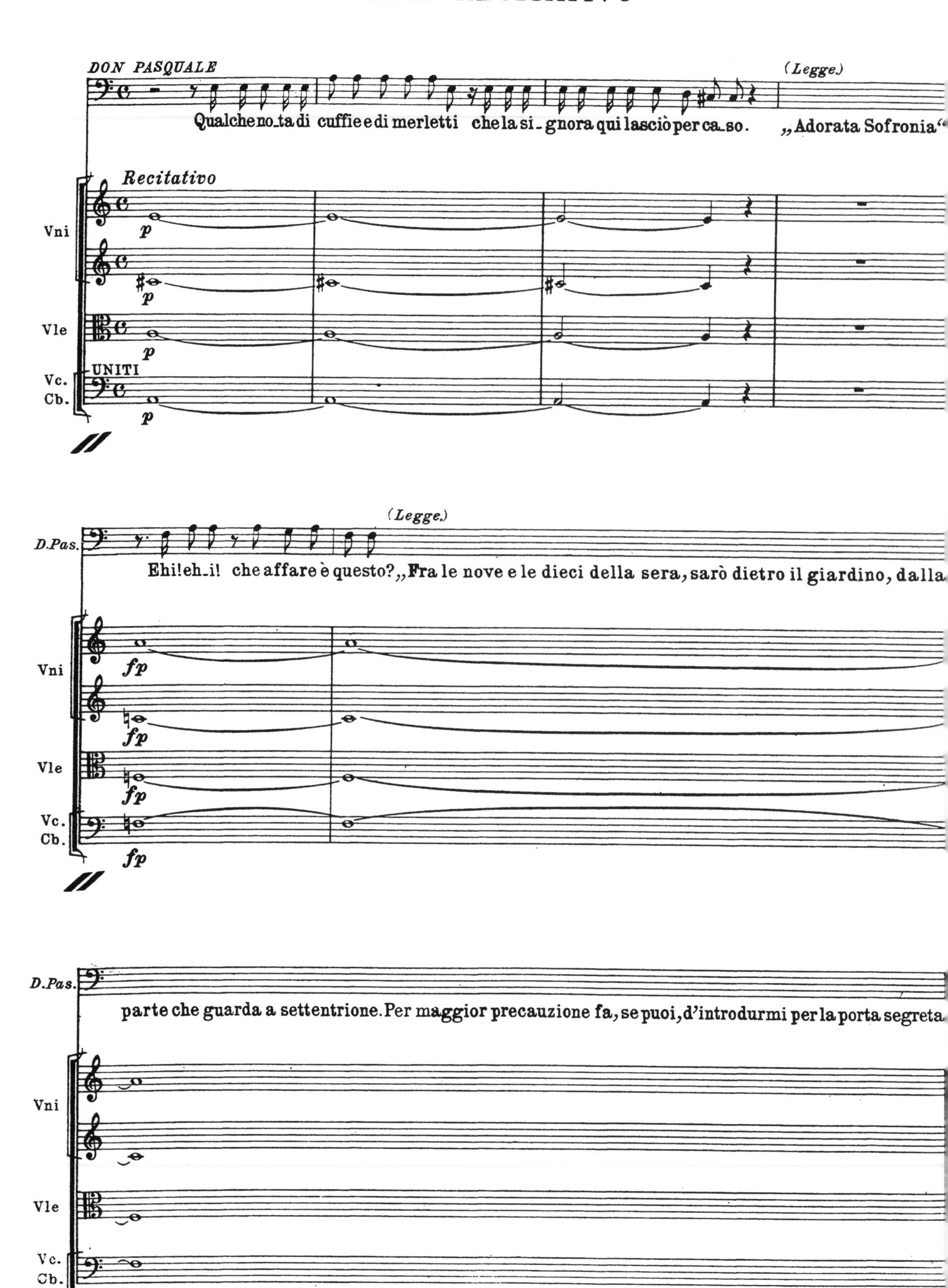

D.Pas.
A noi daran ricetto securo l'ombre del boschetto. Mi scordavo di dirti che annunzierò cantando il giunger mio.
Vni
fp
fp
Vle
fp
Vc.
Cb.
fp
(fuori di sè)
Mi raccomando. Il tuo fedele. Addio,,
Quest'è troppo; co_ste_i mi vuol morto arrabbiato! Ah! non ne posso
a tempo
f
più, per_do la te_sta!
(scampanellando)
Si chiami Mala_testa.
(ai servi che entrano)
Corre_te dal Dot_to_re, di_tegli che sto
p
mal, che venga to_sto. (O cre_pare o finir_la ad o_gni co_sto.)
Allegro
(Esce.)
Allegro
f

12
SCENA III.
CORO
Allegro vivace
Cl. La
Fg.
Cor. La
I.II. a 2
Trb. La
a 2
LA-MI
Tp.
p
cresc.
Vni
Vle
Vc.
Cb.
DIV.
Ott.
Fl.
Ob.
mf
f

Ott.
Fl.
Ob.
Cl. La
Fg.
La Cor. Mi
Trb. La
Trbn.
Tp.
P. G.C.
a 2
SERVI E CAMERIERI
Sopr.
Che intermi_na_bi_le an_di_ri_vie_ni!
Ten.
Che intermi_na_bi_le an_di_ri_vie_ni!
Bassi
Che intermi_na_bi_le an_di_ri_vie_ni!
Vni
Vle
UNITE
Vc.
Cb.

Ott.
Fl.
Ob.
Cl.
La
Fg.
a 2
La
Cor.
Mi
Trb.
La
Trbn.
Tp.
P.
G.C.
a 2
ff
p
Che intermi - na.bi.le an.di.ri.vie.ni!
Che intermi - na.bi.le an.di.ri.vie.ni!
Che intermi - na.bi.le an.di.ri.vie.ni!
Vni
Vle
Vc.
Cb.
DIV.
UNITE
f

Ott.
Fl.
Ob.
Cl.
La
Fg.
Cor.
La
Trb.
La
Tin tin di qua, tin tin tin tin.
Ton ton di là, ton ton ton
Ton ton di là, ton ton ton
Vni
Vle
Vc.
Cb.

Ott.
Fl.
Ob.
Cl.
La
Fg.
Cor.
La
Trb.
La
In pace un at_timo giammai si sta.
ton.
In pace un at_timo giammai si
ton.
In pace un at_timo giammai si
Vni
Vle
Vc.
Cb.

Ott.
Fl.
Ob.
Cl.
La
Fg.
La
Cor.
Mi
Trb.
La
Trbn.
Tp.
P.
G.C.
a 2
I.
Tintintintin.
Tintintintin.
In paceun at_timo mainonsi
sta.
Tontonton ton.
Tontonton ton.
In paceun at_timo mainonsi
Vni
DIVISE
Vle
Vc.
Cb.

Ott.
Fl.
Ob.
Cl. La
Fg.
La Cor. Mi
a2
Trb. La
Trbn.
Tp.
P. G.C.
a 2
sta, in paceun at - ti-mo mai non si sta, tintin, tintin, tintintintin.
sta, in paceun at - ti-mo mai non si sta, tonton, ton ton, tontonton
sta, in paceun at - ti-mo mai non si sta, tonton, ton ton, tontonton
Vni
Vle
UNITE
Vc.
Cb.

13
Ott.
Fl.
Ob.
I.
Cl.
La
Fg.
La
Cor.
Mi
I.
Trb.
La
Trbn.
Tp.
P.
G.C.
a 2
Ma... casa buona, montata in
ton.
Ma... casa buona, montata in
ton.
13
Vni
Vle
PIZZ.
Vc.
Cb.

Ott.
Fl.
Ob.
Cl.
La
Fg.
Cor.
La
gran - de.
Si spende e span_de; c'è da scia_
gran - de.
Si spende e span_de; c'è da scia_
Sì, ca_sa buo_na, montata in gran_de.
Vni
Vle
Vc.
Cb.

Ott.
Fl.
Ob.
Cl.
La
Fg.
La
Cor.
Mi
Trb.
La
Trbn.
I.
a 2
a 3
_lar.
Finito il pran_zo, vi furon
Si spende e span_de; c'è da scialar.
Vni
Vle
Vc.
Cb.
ARCO

Ott.
Fl.
Ob.
Cl. La
Fg.
La Cor. Mi
Trb. La
Trbn.
Vni
Vle
Vc.
Cb.
a 2
a 3
I.
III.
PIZZ.
sce_ne.
Di_ce il ma_ri_to:
Restar con
sce_ne.
Comincian pre _ sto.
Con_tate un po'.

Ott.
Fl.
Ob.
I.
Cl.
La
I.
Fg.
Cor.
Mi
III.
-vie - ne. Di - ce la spo - sa: Sor-tire io vo? Il vecchio sbuf - fa, segue ba-
Oh!
Oh!
Vni
Vle
Vc.
Cb.

Ott.
Fl.
a 2
Ob.
Cl.
La
Fg.
La
Cor.
Mi
III.
Trb.
La
I.
Trbn.
Tp.
-ruf-fa, - ma - la spo - si-na - l'ha da spun-tar, l'ha da spun - tar, sì.
Ma - la spo - si-na - l'ha da spun-tar, l'ha da spun - tar, sì.
Ma - la spo - si-na - l'ha da spun-tar, l'ha da spun - tar, sì.
Vni
Vle
ARCO
Vc.
Cb.

14
rall.
Che tiene il vec_chio sopra pen_
Ve'un nipo_ti_no guasta me_stie_ri...
Ve'un nipo_ti_no guasta me_stie_ri...
14
rall.
PIZZ.
Vni
Vle
Vc.
Cb.
rall.
Tempo di Valzer
Fl.
Cl. La
Fg.
a 2
La Cor. Mi
III.
Trb. La
_sie_ri.
Quel ni_po_ti_no
Quel ni_po_ti_no
Tempo di Valzer
rall.
ARCO
(PIZZ.)
Vni
Vle
Vc.
Cb.

Ott.
Fl.
Ob.
Cl.
La
I.
Fg.
a 2.
La
Cor.
Mi
III.
Trb.
La
Trbn.
Tp.
G.C.
P.
a 2
Che tiene il vecchio
so_pra pen.
guasta me_stie_ri...
so_pra pen.
guasta me_stie_ri...
so_pra pen_sie_ri,
so_pra pen.
Vni
Vle
ARCO
Vc.
ARCO
Cb.
ARCO

Ott.
Fl.
Ob.
Cl.
La
Fg.
a 2
I.
La
Cor.
Mi
III.
Trb.
La
Trbn.
III.
Tp.
G.C.
P.
a 2
p
-sieri.
La padron-ci-na
è tut-ta fo-co.
-sieri.
-sieri.
Vni
Vle
PIZZ.
Vc.
PIZZ.
ARCO
Cb.
PIZZ.

cresc. poco a poco
Ott.
Fl.
Ob.
Cl.
La
I.
Fg.
La
Cor.
Mi
III.
a 2
Trb.
La
Trbn.
Tp.
G.C.
P.
a 2
Lo con_ti po_co.
Par che il ma_ri_to lo con_ti po_co, lo con_ti po_co.
Par che il ma_ri_to lo con_ti po_co.
cresc. poco a poco
Vni
Vle
ARCO
Vc.
Cb.
ARCO

15
Fl.
Cl. La
Fg.
Zit - ti, pru - den - za.
Al - cu - no vie - ne.
Vni
Vle
Vc.
Ott.
Ob.
Cor. Mi
Si sta - rà be - ne:
C'è da scia - lar:
Zit - ti, zit - ti.
C'è da scia - lar, c'è da scia - lar:

cresc:
Fl.
I.
Cl.
La
Fg.
La
Cor.
Mi
III.
I.
Trbn.
cresc:
zit_ti, zit_ti, zit_ti, al - cun vie - ne, zit - to,
zit_ti, zit_ti, zit_ti, al - cun vie - ne, zit - to,
zit_ti, zit_ti, zit_ti, al - cun vie - ne, zit - to,
cresc:
Vni
PIZZ.
Vle
PIZZ.
ARCO
Vc.
PIZZ.
Cb.

16
Ott.
Fl.
Ob.
Cl. La
Fg.
La Cor. Mi
Trb. La
Trbn.
Tp.
G.C. P.
a 2
I.
zit - to, sì, sì, c'è da scialar; si starà be - ne;
zit - to, sì, sì, c'è da scialar; si starà be - ne;
zit - to, sì, sì, c'è da scialar; si starà be - ne;
Vni
Vle
Vc.
Cb.
PIZZ.
ARCO

Ott.
Fl.
I.
cresc.
Ob.
Cl.
La
Fg.
Cor.
Mi
III.
Trb.
Trbn.
c'è da scialar,
Vni
Vle
ARCO
Vc.
Cb.

Ott.
Fl.
Ob.
Cl. La
Fg.
a 2
La
Cor.
Mi
III.
Trb. La
a 2
p
Trbn.
I.
Tp.
p
p
sì, c'è da scia_lar;
p
c'è da scia_lar,
sì, c'è da scia_lar;
c'è da scia_lar, c'è da scia_lar;
Vle
Vc.
Cb.

Fl.
Ob.
I.
Cl.
La
Cor.
La
I. II.
zit_to, zit_to, al_cun vie_ne, zit_to, zit_to; c'è da scia_lar,
zit_to, zit_to, al_cun vie_ne, zit_to, zit_to; c'è da scia_lar,
zit - to, zit - to, c'è da scia - lar, zit_to,
(PIZZ.)
(PIZZ.)
PIZZ.
Vni
Vle
Vc.
Cb.
Cl.
La
Fg.
Cor.
La
I. II.
c'è da scia - lar, sì, c'è da scia - lar...
c'è da scia - lar, sì, c'è da scia - lar...
zit_to, al_cun vie_ne, zit_to, zit_to, sì, c'è da scia_lar...
calando
Vni
Vle
Vc.
Cb.

col canto
a tempo
Ott.
Fl.
Ob.
a 2
Cl.
La
Fg.
La
Cor.
Mi
Trb.
La
Trbn.
Tp.
G.C.
P.
a piacere
p(con mistero)
quel nipo - ti - no... c'è da scia-lar!
(Escono.)
quel nipo - ti - no... c'è da scia-lar!
quel nipo - ti - no... c'è da scia-lar!
a tempo
col canto
ARCO
Vni
Vle
Vc.
Cb.

Nº 11. RECITATIVO E DUETTO

DOTTORE E DON PASQUALE

Recitativo
Dott.
Questa répenti_na chiamata mi prova che il biglietto del con_
Recitativo
Vni
Vle
Vc.
Cb.
_vegno notturno ha fatto ef_fet_to. Ec_co_lo!... com'è pal_lido e di_messo! non sembra più lo
stes_so... me ne fa male il co_re... Ricomponiamci un vi_so da dot_to_re.
17
Andante
PIZZ.

(andando incontro a Don Pasquale)
Recitativo
Dott.
Don Pasquale...
DON PASQUALE
(con tristezza solenne)
Co_gnato, in me vede_te un morto che cam
Recitativo
Vni
Vle
ARCO
Vc. Cb.
Non mi fa_te lan_guire a questo mo_do.
(senza badargli e come parlando a sè stesso)
D. Pas.
-mina.
Pen_sar che, per un mise_ro pun_tiglio, mi son ri_dotto a
(fra sè)
(a Don Pasquale)
(Cosa buona a sa_per_si.) Mi spiegherete al
questo! Mille No_ri_ne aves_si date a Er_nesto!

Dott.
fin...
Pas.
Mez_za en_tra_ta d'un an_no in cuf_fie e nastri con_su_ma_ta! ma questo è
Cb.
Dott.
E po_i?
Pas.
nulla. La signo_ri_na vuole andar a te_a_tro: m'oppongo col_le buone, non intende ra_
Vni
Vle
UNITI
Vc.
Cb.
(stupito)
Dott.
U_no
Pas.
_gio_ne, e son de_ri_so: co_mando... e col_la man mi dà sul vi_so.
Vni
Vle
Vc.
Cb.
(fra sè) (a Don Pasquale)
Dott.
schiaffo! (Coraggio.) Voi men_ti_te: Sofronia è donna ta_le, che non può, che non
Pas.
U_no schiaffo, sì, si_gnore!
Cb.

Dott.
sa, nè vuol far male:
pretesti per cacciarla via di casa, fando_nie che inven_ta_te.
Mia so_
Vni
Vle
UNITI
Vc.
Cb.
Dott.
_rella capace a voi di perdere il ri_spetto!
Non è
DON PASQUALE
La guancia è testi_monio: il tut_to è detto.
Vni
Vle
Vc.
Cb.
Dott.
vero.
Si_gnore, gridar cotanto parmi inconvenienza.
D. Pas.
È veris_simo.__
Ma se voi fate perder la pa_
Vni
Vle
Vc.
Cb.

(calmandosi)
(fra sè)
Par_la_te dunque.
(Faccia mi_a, co_raggio.)
_zienza!
Lo schiaffo è nul_la, v'è di peggio an_
(Fa segni di sorpresa fino all'orrore.)
Io son di sasso. (Secon_diamo.) Ma come! mia so_rel_la sì saggia, buona e
(Gli dà la lettera.)
_co_ra: legge_te.
bella...
Che sia colpevol son an_cora in_cer_to.
Sarà buona per vo_i, per me no cer_to.
Io son co_sì si_curo del de_

D.Pas.
-lit-to, che v'ho fat-to chiamare espressa-men-te qual te-sti-monio della mia vendet-ta.
Vni
Vle
Vc.
Cb.
f
IL DOTTORE
Va ben... ma ri-flet-te-te...
D.Pas.
Ho tut-to pre-ve-du-to... ma aspet-ta-te, se-
Vni
Vle
Vc.
Cb.
Dott.
Sediam pu-re. Ma par-la-te.
(Dà segni d'inquietudine.)
D.Pas.
-diamo.
Vni
Vle
Vc.
Cb.
p

18 Moderato
Pas.
Che-ti cheti imman-ti-
18 Moderato
Vni
Vle
Vc.
Cb.
Fl.
Ob.
Cl. Do
Fg.
Cor. Fa
Pas.
-nen - - - te, che-ti che-ti imman-ti-nen-te nel giardi-no di-scen-
Vni
Vle
UNITI
Vc. Cb.

Fl.
Ob.
Cl. Do
Fg.
I.
D.Pas.
diamo; prendo meco la mia gen - - - te, prendo me - co la mia
Vni
PIZZ.
ARCO
Vle
Vc. Cb.
Ob.
Cl. Do
Fg.
Cor. Fa
I. II.
gen - te, il boschetto cir - condiamo; e la coppia sciagu -
fp

Ott.
Fl.
Ob.
Cl.
Do
Fg.
Cor.
Fa
D. Pas.
Vni
Vle
Vc.
Cb.
I.
I.II.
fp
dim:
f
p
-ra - ta,a un mio cen-no impri-gio-na-ta,
sen-za per-dere un mo-men-to con-duciam dal po-de-stà, e la cop-pia scia-gu-

Fg.
I.
Cor. Fa
I.II.
D. Pas.
-ra-ta, a un mio cenno impri-gio-na-ta, sen-za per-de-re un mo-men-to con-duciam dal po-de-
Vni
Vle
Vc. Cb.
Fl.
p stacc.
Ob.
Cl. Do
Fg.
Cor. Fa
Trb. Do
a 2
-stà, sen-za per-dere un mo-men-to con-du-ciam dal po-de-stà, sen-za per-dere un mo-

19
a tempo
col canto
Ott.
Fl.
Ob.
Cl. Do
Fg.
Cor. Fa
Trb. Do
Trbn.
Tp.
IL DOTTORE
Io direi... senti_te un po -
D. Pas.
rall.
-men_to con_ duciam dal po_ de_ stà.
Vni
Vle
Vc. Cb.
DIV.

Fl.
Ob.
Cl. Do
Fg.
Cor. Fa
Dott.
-co. Noi due so - li, noi due so - li, noi due so-li andiam sul lo-co;
nel boschetto ci appo
Vni
UNITE
PIZZ.
Vle
Vc. Cb.
-stia - - mo, noi due so - li ci appo-stiamo, ed a tem-po ci mostriamo.
ARCO
I. II.

Ott.
Fl.
Ob.
Cl. Do
Fg.
Cor. Fa
Dott.
E tra preghie tra mi_nac_ce d'avvertir l'auto_ri_tà.
Vni
Vle
Vc. Cb.
Ci facciam dai due pro_met_ter che la co_sa re_sti là, e tra preghi tra mi
fp dim:

Fg.
Cor. Fa
Dott.
-nac-ce d'avver-tir l'au-to - ri - tà, ci facciam dai due pro-met-te-re che la co - sa re - sti
Vni
Vle
Vc. Cb.
Fl.
Ob.
Cl. Do
Fg.
Cor. Fa
Trb. Do
Dott.
là, ci facciam dai due prometter che la co-sa re-sti là, ci facciam dai due prometter che la co-sa re-sti
rall.
col canto
Vni
Vle
Vc. Cb.

20
Poco più
Ott.
Fl.
Fg.
Cor. Fa
I. II.
Dott.
là.
DON PASQUALE
È sì fatto sciogli - mento po-ca pena altra-di -
Vni
p stacc.
Vle
PIZZ.
Vc.
Cb.
Ob.
I.
Riflettete, è mia so - rella.
D. Pas.
-mento.
Va-da fuor di ca-sa mi-a, vada fuor di ca-sa mi-a, altri pat-ti non vo'

Fl.
Fg.
Cor. Fa
I.II.
Dott.
È un af_fa_re de_li _ ca_to, de_li_cato, de_li _ cato, vuol ben es_ser ponde _ ra_to, pon_de_ra_to, ponde -
D. Pas.
far.
Vni
Vle
ARCO
Vc.
Cb.
Fl.
Cl. Do
I.
Fg.
Cor. Fa
I.II.
Dott.
-ra_to.
D. Pas.
Pon_de _ ra _ te, e_sa_mi _ na _ te, ma in mia ca sa non la
Vni
stacc.
Vle
stacc.
Vc.
PIZZ.
Cb.

Ott.
Fl.
Ob.
Cl. Do
Fg.
Cor. Fa
Trb. Do
Trbn.
SOL-DO
Tp.
Dott.
U_no scan_da_lo fa_re_te e ver_go_gna poi ne a_vre_te; non con_
Pas.
vo, no, no. Non impor_ta. Non impor_ta.
Vni
Vle
ARCO
Vc.
Cb.

Ott.
Fl.
Ob.
Cl.
Do
Fg.
Cor.
Fa
Trb.
Do
Trbn.
Tp.
Dott.
D. Pas.
Vni
Vle
Vc.
Cb.
(Riflette intanto.)
(imitandolo)
_vie - ne, non sta be - ne: al_tro mo_do, al_tro mo_do cerche_rò.
Non sta be - ne, non con_

Moderato
21
Fl.
Ob.
I.
Cl. Do
in SI♭ I.
Fg.
(accennando la guancia)
(Pensano tutti e due)
Pas.
-vie - ne...ma lo schiaffo, ma lo schiaffo qui re - stò.
21 Moderato
Vni
Vle
DIV.
PIZZ.
Vc.
Cb.
I. Tempo, Mosso
Cl. Si♭
Cor. Fa
IL DOTTORE
(come inspirato)
L'ho tro - va - ta!
Io di-re - i...
Be - ne - det - to!
di-te,
UNITE
ARCO

Ott.
Fl.
Ob.
Cl. Si♭
Fg.
Cor. Fa
Dott.
D. Pas.
Vni
Vle
Vc.
Cb.
Nel boschet_to quatti quat_ti ci ap
dite, dite presto.
-stia_mo, di là tut_to udir pos_sia_mo. S'è co_stante il tra_di_men_to, la cacciate su d

Ott.
Fl.
Ob.
Cl. Sib
Fg.
I. II.
Cor. Fa
a 2
Trb. Do
I.
Trbn.
DO-FA
Tp.
Dott.
pie'.
DON PASQUALE
Bravo, bra - vo, bra - vo, bra - vo, va be-
Vni
Vle
ARCO
Vc.
Cb.

Ott.
Fl.
Ob.
Cl.
Si♭
Fg.
I. II.
Cor.
Fa
Trb.
Do
Trbn.
Tp.
D. Pas.
-no - ne, son con-ten - to, va be-no-ne, son conten-to, son con-
Vni
Vle
Vc.
Cb.

Ott.
Fl.
Ob.
Cl. Si♭
In DO
Fg.
Cor. Fa
I. II.
Trb. Do
Trbn.
Tp.
IL DOTTORE
Sì.
D. Pas.
rall.
-ten-to, bra-vo, bra-vo, bravo, son con-ten - to.
Vni
Vle
Vc.
Cb.

22 Moderato mosso
Fl.
Ob.
I.
Pas.
(Aspetta, a - spet - ta, cara spo - si - na: la mia ven - det - ta già s'av - vi - ci - na, già, già ti
22 Moderato mosso
Vni
Vle
UNITI
Vc.
Cb.
Ott.
Fl.
Ob.
I.
Cl.
Do
in DO
a 2
Fg.
Cor.
Fa
I. II.
D. Pas.
pre - me, già t'ha raggiun - to, tut - te in un pun - to l'hai da scon - tar. Vedrai se giovi - no raggiri e
Vni
Vle
Vc.
Cb.

Ott.
Fl.
Cl.
Do
Fg.
p
Fa
Cor.
Do
a 2
p
Trb.
Do
I.
D. Pas.
cabale, sor_ri_si te_ne_ri, sospiri e lagrime, vedrai se giovino, vedrai se giovino sorri_si te_ne_ri, sospiri e
Vni
DIV.
UNITE
Vle
Vc.
Cb.
Ott.
Fl.
Ob.
Cl.
Do
a 2
Fg.
Fa
Cor.
Do
a 2
Trb.
Do
I.
D. Pas.
lagrime: or voglio prendere la mia ri _ vincita, or voglio prendere la mia ri _ vincita, sei nella trappola, v'hai da re_
Vni
Vle
Vc.
Cb.

Ott.
Fl.
Ob.
Cl.
Do
Fg.
Fa
Cor.
Do
Trb.
Do
I.
a 2
D. Pas.
-star, sì, sei nella trappo-la, v'hai da re-star; la mia ven-det-ta già t'ha rag-
Vni
Vle
Vc.
Cb.

Ott.
Fl.
Ob.
Cl.
Do
Fg.
a 2
Fa
Cor.
Do
a 2
Trb.
Do
I.
Pas.
-giun - to, tutte in un pun - to l'hai da scon-tar, tutte in un pun - to l'hai da scontar, tutte in un
Vni
Vle
Vc.
Cb.

a tempo
23
Ott.
Fl.
Ob.
Cl.
Do
Fg.
f
Fa
Cor.
Do
a 2
Trb.
Do
Trbn.
Tp.
G. C.
P.
IL DOTTORE
(Il po_ve - ri - no sogna ven_det - ta, non sa il me_schi - no quel che l'a -
D. Pas.
pun - to l'hai da scon_tar.)
a tempo
23
Vni
p
Vle
Vc.
Cb.

Fl.
Ob.
Fg.
Cor. Fa
Bott.
-spet - ta; in-va-no fre - me, in-van s'ar-rab - bia, è chiuso in gab - bia, non può scap-
Vni
Vle
Vc.
Cb.
Ott.
Fl.
Cl. Do
Fg.
Fa Cor. Do
Bott.
-par. Invano accumula progetti e calco-li, invano accumula progetti e calco-li, non sa che fabbrica castelli in
Vni
Vle
Vc.
Cb.
a 2
DIV.

Ott.
Fl.
Ob.
Cl. Do
Fg.
Fa
Cor.
Do
a 2
Trb. Do
I.
Dott.
a_ri_a; non vede, il semplice, non vede, il semplice, che nella trappola da sè me - de_simo, sì, nella trappola da sè me_
Vni
UNITE
Vle
Vc.
Cb.

I.
I.
-de-simo, non vede, il semplice, che nella trappo-la da sè mede-simo si va a get-tar.
In-van s'ar-

Ott.
Fl.
Ob.
I.
Cl.
Do
Fg.
a 2
Fa
Cor.
Do
a 2
Trb.
Do
Dott.
rab - bia, in vano fre - me, s'è chiuso in gab - bia, non può scappar, s'è chiuso in gab-bia, non può scap-
Vni
Vle
Vc.
Cb.

Ott.
Fl.
Ob.
Cl.
Fg.
a 2
Cor.
Trb.
Tbn.
Timp.
G. C.
P.
-par, s'è chiuso in gab - bia, non può scap - par.)
DON PASQUALE
La caccia - te su due pie',
Va beno - ne, son con - tento,
Vi
Ve
Vc.
Cb.

Ott.

Fl.

tr

Ob.

I.

Cl. Do

I.

Fg.

Fa Cor. Do

Trb. Do

Trbn.

Tp.

G. C. P.

a 2

Dott.

e la tol_go via con me. Quatti quat_ti ci appostia_mo, di là tut_to

D. Pas

son conten_to, son con_ten_to. Quatti quat_ti ci appo stia_mo, u_dir pos_

Vni

Vle

Vc.

Cb.

Ott.
Fl.
Ob.
Cl.
Do
Fg.
Fa
Cor.
Do
Trb.
Do
Trbn.
Tp.
G.C.
P.
Dott.
Pas.
Vni
Vle
Vc.
Cb.
I.
a 2
a 3
tutto, tut_to...
_sia_mo, tutto, tut - to u - dir pos_sia - - mo.

24

Ott.

p

Fl.

p

Ob.

Cl. *Do*

a 2

p

Fg.

p

Fa Cor. *Do*

a 2

p

p

Trb. *Do*

Trbn.

Tp.

G. C. P.

a 2

Dott.

(In_vano accumula progetti e calco_li, invano accumula progetti e calco_li, non sa che fabbrica castelli in

D. Pas.

(Vedrai se giovi_no raggiri e cabale, sorri_si te_ne_ri, sospiri e lagrime, vedrai se gio_vi_no, vedrai se

a 2
I.
p
a_ri_a, non vede il semplice, non vede il semplice, non vede il semplice che nella trappola da sè me_de_simo, non vede il
giovino sorri_si te_neri, sospiri e lagrime, or voglio prendere la mia ri_vinci_ta, or voglio prendere la mia ri_
UNITE

Ott.
Fl.
Ob.
Cl. Do
a 2
Fg.
Fa
Cor.
Do
Trb. Do
I.
Dott.
semplice che nel_la trappola da sè me_de_simo, che nella trappo_la si va a get_tar,
D. Pas.
_vinci_ta, sei nel_la trappola v'hai da re_star, sì, sì, sei nel_la trappo_la v'hai da re_star, a_spetta, a _
Vni
Vle
Vc.
Cb.

Ott.
Fl.
Ob.
Cl.
Fg.
Cor.
Trb.
a 2
f
è chiuso in gab - bia, è chiuso in gab - bia, non può scap-par, è chiuso in gab-bia, non può scap
Pas.
-spet - ta, tut-te in un pun - to l'hai da scon-tar,
c.
b.

25 Poco più
Ott.
Fl.
Ob.
Cl. Do
Fg.
a 2
Fa
Cor.
Do
Trb. Do
Trbn.
Tp.
G. C. P.
Dott.
-par, è chiuso in gab - bia, non può scap-par, ah, ah, ah, ah, ah, ah, ah! è chiuso in
D. Pas.
tutte in un pun - to l'hai da scon-tar, ah, ah! ah, ah, ah, ah, ah, ah! tutte in un
25 Poco più
Vni
Vle
DIV.
Vc.
Cb.

Ott.
Fl.
Ob.
Cl. Do
Fg.
Fa
Cor.
Do
a 2
Trb. Do
Trbn.
Tp.
G.C. P.
Bott.
gab_bia, non può scappar, ah, ah, ah, ah, ah, ah, ah, ah, ah, ah, ah, ah, ah, ah! non può scap_
Pas.
pun_to l'hai da scon_tar, ah, ah, ah, ah, ah, ah, ah, ah, ah, ah, ah, ah, ah, ah! l'hai da scon_
Vni
Vle
UNITE
DIVISE
Vc.
Cb.

Ott.
Fl.
Ob.
Cl.
Do
Fg.
Fa
Cor.
Do
Trb.
Do
Trbn.
Tp.
G.C.
P.
a 2
Dott.
-par, non può scap-par, non può scap-par,
D. Pas.
-tar, l'hai da scon-tar, l'hai da scon-tar,
Vni
Vle
Vc.
Cb.

Ott.
Fl.
Ob.
Cl.
Do
Fg.
Fa
Do
Trb.
Do
Tp.
a 2
P.
non può scap_par.)
(Escono insieme.)
l'hai da scon_tar.)
Vni
Vle
Vc.
Cb.

Nº 12. SERENATA E NOTTURNO

SCENA VI. Boschetto nel giardino attiguo alla casa di Don Pasquale; a sinistra dello spettatore, gradinata che dalla casa mette in giardino; a dritta, bel vedere. Piccolo cancello in fondo.

SERENATA - (ERNESTO E CORO) (interno)

Ch.
Ern.
Ben mio, per chè ancor non vie ni a me? Forma no l'a u re
Cb.
d'amo re ac cen ti, del rio nel mur mu re so spi ri
Tmb.B.
sen ti, ben mio, per chè ancor non vieni a
Sopr.
Ah!
Ten.
Ben mio, per chè ancor non vieni a me?
Bassi
Ben mio, per chè ancor non vieni a me?
CORO

26 Pochissimo più mosso
Ch.
Ern.
me, perchè, per_chè ancor non vie_ni a me? Poi quan_do sa_rò
Cb.
26 Pochissimo più mosso
Ch.
Ern.
mor - to, pian_ge - ra - i, ma ri_chiamarmi in vi - ta non po-
Cb.
Tmb. B.
Ch.
Ern.
_tra - i.
CORO
Poi quan_do sa - rà mor - to, sì, pian_ge - ra - i, ma ri - chiamar_lo in
Poi quan_do sa - rà mor - to, sì, pian_ge - ra - i, ma ri - chiamar_lo in
Poi quan_do sa - rà mor - to, pian - ge - ra - i, ma ri - chiamar_lo in
Cb.

27 I.Tempo
Tmb.B.
Ch.
Ern.
Co-m'è gen-til
vi - ta, no, non po - tra - i. La la la la la la la la la la la la
vi - ta, no, non po - tra - i. La la la la la la la la la la la la
vi - ta, no, non po - tra - i. La la la la la la la la la la la la
27 I.Tempo
Cb.
Tmb.B.
Ch.
Ern.
la notte a mezzo April! È azzur-ro il ciel la luna è senza vel:
la la la la la la la la la la la la la la la la la la la la la la la la la
la la la la la la la la la la la la la la la la la la la la la la la la la
la la la la la la la la la la la la la la la la la la la la la la la la la
Cb.

Tmb.B.
Ch.
Ern.
Tutt'è languor,
pa_ce, mistero, amor.
Ben mio, per-
la la la la la la la
Cb.
_chè
ancor non vieni a me?
Il tuo fe_de_le
si strug_ge

Tmb.B.
Ch.
Ern.
di desir, Ni-na cru-de - le, Ni-na cru-del,
la la la la la la la la la la la la la la la la la la la la la la la la la la
Cb.
Tmb.B.
Ch.
Ern.
il tuo fe-del si struggedide-sir; Ni-na cru-del, mi vuoi veder mo-
Cb.

28 Pochissimo più mosso
Tmb.B.
Ch.
Enr.
-rir? Poi quan-do sa-rò mor-to, pian-ge-ra-i, ma ri-chiamarmi in
la.
la.
la.
28 Pochissimo più mosso
Cb.
Tmb.B.
f
Ch.
f
f
Enr.
vi-ta, nonon po-tra-i,
f
Poi quan-do sa-rà mor-to, sì, pian-ge
f
Poi quan-do sa-rà mor-to, sì, pian-ge.
f
Poi quan-do sà-rà mor-to, pian-ge-
Cb.

Ott.
Fl.
Ob.
Cl.
La
in LA
Fg.
Cor.
Mi
I. II. in MI
Trb.
Sib
in SI♭
a 2
Trbn.
Ch.
Ern.
ma ri_chiamarmi in vi - ta, no, non po_tra - i.
- ra - i, ma ri_chiamarlo in vi - ta, no, non po_tra - i.
- ra - i, ma ri_chiamarlo in vi - ta, no, non po_tra - i.
- ra - i, ma ri_chiamarlo in vi - ta, no, non po_tra - i.
Vni
Vle
Vc.
Cb.

NOTTURNO (NORINA ed ERNESTO)

Larghetto

Fl. Ob. La Cl. La Fg.

Larghetto

(Norina esce con precauzione dalla parte del belvedere, e va ad aprire ad Ernesto, che si mostra dietro il cancello. Ernesto è avvolto in un mantello che lascerà cadere.)

Cb.

La Cl. La

NORINA

Tor - namia dir che m'a - mi, dim - mi che mio tu se - i;

ERNESTO

Tor - namia dir che m'a - mi, dim - mi che mia tu se - i;

PIZZ.

Vni II.

Vle

PIZZ.

Vc.

PIZZ.

Cb.

rall. 29 a tempo
Cl. La
Fg.
Cor. Mi
Vor.
quan - do tuo ben mi chia - mi la vi_ta addoppi in me.
Ern.
quan - do tuo ben mi chia - mi la vi_ta addoppi in me.
rall. 29 a tempo
Vni II.
Vle
Vc.
Cb.
Cl. La
Fg.
Cor. Mi
Vor.
La vo_ce tu_a sì ca - ra rin_fran - ca il cuore op_pres - so, il co_re op_
Ern.
La vo_ce tu_a sì ca - ra rin_fran - ca il cuore op_
Vni II.
Vle
Vc.
Cb.

rall.
a tempo
Cl. La
Fg.
Cor. Mi
I.II.
Nor.
-pres - - -so; ah! si - cura a te_dap-pres-so, tre - mo lontan da
Ern.
-pres - - -so; ah! si - curo a te_dap-pres-so, tre - mo lontan da
rall.
a tempo
Vni II.
Vle
Vc.
Cb.
Cl. La
Cor. Mi
I.II.
Nor.
te,_ da te, si - cura a te_dap-pres - so, ah! tre - mo lontan da
Ern.
te,_ da te, si - curo a te_dap-pres - so, ah!_ tre - mo lontan da
Vni II.
Vle
Vc.
Cb.

Cl.
La
Fg.
Cor.
Mi
Vor.
Ern.
Vni
Vle
Vc.
Cb.
fp
p
a 2
I.
ARCO
te, tre - - mo lontan da te, tre - - mo, tre - mo, lon-
te, Ah! lontan da te, tre - - mo, lon-
DIV.
UNITE
I.II.
pp
-tan da te, da te, da te, da te.
-tan da te, da te, da te, da te.

N.º 13. SCENA E RONDÒ FINALE III.

«NORINA»

(Si vedono Don Pasquale e il Dottore muniti di lanterne cieche entrar pian piano dal cancello; si perdon dietro agli alberi per ricomparire a suo tempo.)

Vivace
Ott.
Fl.
Ob.
Cl. Do
Fg.
Cor. Mi
Trb. Si♭
Trbn.
NORINA
Ladri, a - iu - to! A - iu - to, a-iu - to, a - iu - to!
SCENA VII.
DON PASQUALE (sbarrando la lanterna in faccia a Norina)
Al - to là! Zit - to! Zit - to! ov'è il
Vivace
Vni
Vle
UNITE
Vc.
Cb.

Recit.
Ott.
Fl.
Ob.
Cl.
Do
Fg.
Cor.
Mi
In SOL
Trb.
Si♭
Trbn.
(con risentimento)
Nor.
Chi?
Signor mi_o, mi mera_viglio,
D. Pas.
drudo?...
Recit. Colui che stava qui con voi amoreg_giando.
Vni
Vle
Vc.
Cb.
qui non v'era al_cu_no.
DOTTORE
(Che faccia to_sta!)
Che mentir sfac_cia_to! Saprò ben io tro_

30 Allegro
Recit.
Ob.
Fg.
Nor.
Vi ri_pe_to che qui non v'era alcun, che voi so_
(Don Pasquale e il Dottore fanno indagini nel boschetto.
Ernesto entra pian piano in casa.)
D.Pas.
_varlo.
30 Allegro
Recit.
Vni
Vle
Vc.
Cb.
Nor.
_gna_te.
Sta_vo prendendo il fresco.
(con esplosione)
D.Pas.
A quest'ora in giar_din che fa_ce _ va_te?
Il fresco!
Vni
Vle
Vc.
Cb.

Nor.
Ehi, eh_i, signor ma_ri_to, su che ton la pren
D. Pas.
Ah! donna indegna! fuo_ri di ca_sa mi_a, o ch'i_o...
Cb.
Nor.
_de_te? Nemmen per sogno. È casa mi_a, vi re_sto.
D. Pas.
Usci_te, e presto. Cor_po di mil_le
Vni
Vle
UNITI
Vc. Cb.
Nor.
(Il
DOTTORE
(Don Pasquale, la_sciate fare a me; so_lo ba_date a non smentirmi: ho carta bianca...)
D. Pas.
bombe! (È inte_so.)
Vni
Vle
Vc. Cb.

Nor.
Dott.
Vni
Vle
Vc.
Cb.
bello adesso viene.)
(piano, a Norina)
(Stupor, misto di sdegno: attenta bene.) Sorella, u-
-dite, io parlo per vostro ben; vorrei risparmiarvi uno sfregio.
(con calore)
A me uno
sfregio!
(Don Pasquale tiene dietro al dialogo con grande interesse.)
(Benissimo.) Domani in questa casa entra la nuova sposa...
Un'altra
p
fp
f

(con disprezzo)
Nor.
donna! A me un'ingiuria?
Spo_sa di chi?
Quella ve_do_va
Dott.
(Ecco il mo_mento di montare in furia.)
D'Ernesto, la No_ri_na.
Vni
fp
Vle
Vc.
Cb.
scaltra e ci_vet_ti_na!
Co_le_i qui, a mio di_
Siamo a caval_lo.
DON PASQUALE
(Bra_vo, dot_to_re!)
(con forza)
_spet_to! No_rina ed i_o sot_to l'istes_so tet_to!
Giammai!
par_to piutto_sto!
D. Pas.
(Ah! lo vo_lesse il
f
UNITI

(cambiando modo)
Nor.
Ma... piano un po_co... Se queste nozze po_i fos_sero un gio_co? Vo' sincerar_mi
D. Pas.
ciel!)
Vni
Vle
Vc.
Cb.
Nor.
pri_a.
DOTTORE
(a D. Pasquale)
È giusto. (Don Pa_squale, non c'è vi_a; qui bi_sogna sposar que' due davvero, se no costei non
Vni
Vle
Vc.
Cb.
(chiamando)
Allegro
Dott.
va.) Ehi! di ca_sa, qual_cu_no. Er_ne_sto.
DON PASQUALE
(Non mi par ve_ro.)
Allegro
Vni
Vle
Vc.
Cb.

ERNESTO
Recitativo
Ec - comi.
Dott.
A vo_i accorda Don Pasquale la mano di No_ri_na, e un anno a
Recitativo
Vni
Vle
Vc.
Cb.
NORINA
M'op_
Ern.
Ah! ca_ro zi_o! E fia ver?
Dott.
(a D. Pasquale)
_segno _ di quat_tromi _ la scudi.
D'e_si_tar non è più tempo, di_te di sì.)
Nor.
_pon_go.
DON PASQUALE
(ad un tratto)
(ad Ernesto)
Ed io consento. Corri a prender No_ri_na, re_ca _ la, e vi fo spo_si sul mo_mento.

31 Moderato mosso
col canto
a tempo
Ott.
Fl.
Ob.
Cl. Do
Fg.
I.
Sol
Cor.
Mi♭
Trb. Si♭
Trbn.
a piacere
Dott.
Senz'andar lungi la sposa è pre_sta.
No_rina è que _ sta.
Pas.
Come? Spiega_tevi...
Quella Norina? che tradi_
31 Moderato mosso
col canto
a tempo
Vni
Vle
Vc.
Cb.

Fl.
Ob.
Cl. Do
Fg.
Dott.
Du_ra in con _ ven _ to.
Fu mio pen _
D. Pas.
_ men _ to! Dun_que So_fro _ nia?...
E il ma_tri_mo _ nio?
Vni
Vle
Vc.
Sol Cor. Mi♭
Trbn.
_ sie _ ro il mo_do a to_glier_vi di far_ne un ve_ro,
Ah, bric _ co _
Cb.

I.
Fl.
a 2
Ob.
Cl.
Do
Fg.
Sol
Cor.
Mib
Trbn.
NORINA
(inginocchiandosi)
Grazia, perdo - - - no!
Via, siate buo - -
ERNESTO
Deh! zio, move - - te - vi!
Via, siate buo - -
Dott.
in nodo stringer_vi di nullo ef_fetto.
Via, siate buo - -
Pas.
_nis_simi!... (Ve - ro non parmi!) Ah, bric - co - nis_simi. (Ciel ti ringra - -
Vni
Vle
Vc.
Cb.

Ott.
Fl.
Ob.
Cl. Do
in Si♭
Fg.
In SI♭
Sol
Cor.
Mi♭
Trb. Si♭
a 2
Trbn.
Nor.
_no.
Ern.
_no.
Dott.
_no.
D.Pas.
_zio!) Tutto di_men_ti_co, siate fe_li_ci; com'io v'u_ni_sco, v'u_nisca il
Vni
Vle
Vc.
Cb.

32 Allegretto moderato
Ott.
Fl.
Ob.
I.
Cl. Si♭
Fg.
in SI♭
Si♭
Cor.
Mi♭
a 2
Trb. Si♭
a 2
Dott.
Bra_vo, bravo, _ don Pa _ squale! _ La mo _ ra_le è _ mol_to bel_la.
D. Pas.
ciel!
32 Allegretto moderato
Vni
Vle
PIZZ.
Vc.
Cb.

NORINA con sorriso
La mo_rale in__tut_to questo è__as_sai fa_cil__di tro_varsi:__ve la
Vni
PIZZ.
PIZZ.
Vle
Vc.
PIZZ.
Cb.
Ob.
Cl. Si♭
Nor.
di_co__pre_sto presto__se vi pia_ce d'a_scol_tar. Ben è scemo__di cer_
Vni
Vle
Vc.
Cb.

Fl.
Ob.
Cl. Si♭
Fg.
Cor. Si♭
Trb. Si♭
Nor.
Vni
Vle
Vc. Cb.
UNITI
_vel_lo___ chi s'am_moglia in___ vec_chia e_tà, sì;___ va a cer_car col___ cam_pa_
cresc.
_nel_lo___ noie e do_glie in quan_ti_tà:___ ben è___ scemo___ di cer_
a 2
33
(PIZZ.)

Fl.
Ob.
Cl. Si♭
Cor. Mi♭
Nor.
_vello __ chi s'am_moglia in_vecchia età; va a cer_car col __ cam_pa_nel - lo no - ie e
Vni
Vle
Vc. Cb.
Fl.
Ob.
Cl. Si♭
Fg.
Si♭ Cor. Mi♭
Nor.
do _ glie in quan_ti _ tà, no_ie e doglie, do_glie e no - - -
Vni
ARCO
Vle
Vc. Cb.

34
Ott.
Fl.
Ob.
Cl. Si♭
Fg.
Si♭
Cor.
Mi♭
Trb. Si♭
Trbn.
FA-SI♭
Tp.
Nor.
-ie in quan-ti-tà.
ERNESTO
La mo-ra-le è mol-to bel-la, bel-la,
DOTTORE
La mo-ra-le è mol-to bel-la, bel-la,
DON PASQUALE
La mo-ra-le è mol-to bel-la, bel-la,
34
Vni
ARCO
Vle
ARCO
PIZZ.
Vc.
ARCO
Cb.

Ott.
Fl.
Ob.
Cl. Si ♭
Fg.
Si ♭
Cor.
Mi ♭
Trb. Si ♭
Trbn.
Tp.
Ern.
bel - la, bel - la, bel - la, Don Pa - squal l'appli - che - rà, Don Pa - squal l'appli - che-
Dott.
bel - la, bel - la, bel - la, Don Pa - squal l'appli - che - rà, Don Pa - squal l'appli - che-
D. Pas.
bel - la, bel - la, bel - la, ap - pli - car - la a me si sta, ap - pli - car - la a me si
Vni
Vc.

Ott.
Fl.
Ob.
Cl. Si♭
Fg.
Si♭ Cor. Mi♭
Trb. Si♭
Trbn.
Tp.
P. G.C.
a 2
Ern.
-rà. Quella ca-ra briccon-cel-la lunga più di noi la sa, lunga più, lunga
Dott.
-rà. Quella ca-ra briccon-cel-la lunga più di noi la sa, lunga più, lunga
D. Pas.
sta. Sei pur fi - na, bricconcel - la, m'hai ser - vi-to come va, co-me
Sop.
Quella cara briccon-cel-la lunga più di noi la sa.
Ten.
Quella cara briccon-cel-la lunga più di noi la sa.
Bassi
Quella cara briccon-cel-la lunga più di noi la sa.
CORO
Vni
Vle
UNITI
ARCO
Vc. Cb.

35
Fl.
calando
Cl. Si♭
Fg.
calando
Si♭
Cor.
Mi♭
Trb. Si♭
NORINA
Ah! la mo_rale in_ tut_to questo è_ as_sai
Ern.
più di noi la_ sa, sì, lun_ga più_ la_ sa.
Dott.
più di noi la_ sa, sì, lun_ga più la sa.
D. Pas.
va, sì, co_me va.
35
Vni
PIZZ.
Vle
PIZZ.
Vc. Cb.
PIZZ.
Ob.
Nor.
fa_cil_ di tro_varsi:_ ve la di_co_ pre_sto presto_ se vi pia_ce d'a_scol_
Vni
Vle
Vc. Cb.

Ob.
Cl. Si♭
Fg.
Nor.
tar. Ben è scemo di cervello chi s'ammoglia in vecchia età, sì; va a cer-
Vni
Vle
Vc. Cb.
Fl.
Ob.
Cl. Si♭
Fg.
Cor. Si♭
Trb. Si♭
Nor.
cresc.
car col campanello noie e pene in quantità; ben è
Vni
Vle
Vc. Cb.

Fl.
Ob.
Cl. Sib
Cor. Mib
Nor.
scemo di cer-vello chi s'am-moglia in vec-chia e-tà; va a cer-car col cam-pa
Vni
(PIZZ.)
Vle
(PIZZ.)
Vc. Cb.
(PIZZ.)
Fl.
Ob.
Cl. Sib
Fg.
Cor. Mib
III.IV.
III.
Nor.
-nel-lo no-ie e do-glie in quan-ti-tà, no-ie e pe-ne, do-glie e no-
Vni
Vle
Vc. Cb.

36
Ott.
Fl.
Ob.
Cl. Si♭
Fg.
Si♭ Cor. Mi♭
Trb. Si♭
Trbn.
Tp.
P. G. C.
a 2
Opp.
no - ie in quan - ti -
Nor.
ie in quan - ti - tà in quan - ti -
Sop.
Sì, Don Pa -
Ten.
Sì, Don Pa -
Bassi
Sì, Don Pa -
CORO
36
Vni
ARCO
Vle
Vc.
Cb.

Ott.
Fl.
Ob.
Cl. Si♭
Fg.
Si♭ Cor. Mi♭
Trb. Si♭
Trbn.
Tp.
P. G. C.
a 2
Nor.
-tà in quan-ti-tà, do-glie in quan-ti-tà.
-squal l'ap-pli-che-rà, l'ap-pli-che-rà.
-squal l'ap-pli-che-rà, l'ap-pli-che-rà.
-squal l'ap-pli-che-rà, l'ap-pli-che-rà.
Vni
Vle
Vc.
Cb.

Ott.
Fl.
Ob.
Cl. Si♭
Fg.
a 2
a 2
Si♭
Cor.
Mi♭
Trb. Si♭
Trbn.
a 3
a 3
Tp.
P. G.C.
a 2
Vni
Vle
Vc.
Cb.
Fine dell' Opera

INGRAF s.r.l. - Via Monte S. Genesio 7 - Milano
Stampato in Italia - Printed in Italy - Imprimé en Italie 2004